跟老婆一起怀孕

写给准爸爸的孕期指导书

〔英〕罗布·肯普 著 吴凡 译

NEW DAD'S SURVIVAL GUIDE:

WHAT TO EXPECT IN THE FIRST YEAR AND BEYOND

一 本 书 让 男 人 参 与 到 怀 孕 中 来 。

图书在版编目(CIP)数据
跟老婆一起怀孕：写给准爸爸的孕期指导书/(英)肯普著；吴凡译．—南昌：江西人民出版社，2015.6
ISBN 978-7-210-07429-8

Ⅰ．①跟…　Ⅱ．①肯…　②吴…　Ⅲ．①妊娠期-妇幼保健-基本知识　Ⅳ．①R715.3

中国版本图书馆CIP数据核字(2015)第129732号

江西省版权局著作权合同登记：图字14-2015-120

跟老婆一起怀孕：写给准爸爸的孕期指导书
(英)罗布·肯普　著　吴凡　译
江西人民出版社出版发行
地址：江西省南昌市三经路47号附1号(邮编：330006)
编辑部电话：0791-86898980
发行部电话：0791-86898801
网址：www.jxpph.com
E-mail：jxpph@tom.com　web@jxpph.com
2015年9月第1版　2019年4月第11次印刷
开本：710毫米×1000毫米　1/16
印张：16.5
字数：200千字
ISBN 978-7-210-07429-8
赣版权登字—01—2015—413

定价：32.00元
承印厂：天津中印联印务有限公司

前　言
Preface

现在的父亲和原来可不一样了。

你可以去问问自己的父亲，看他在你出生时扮演了什么样的角色。你可以问问他在你出生的时候，是否守候在产房外，陪在你母亲的身边；问问他在你母亲怀孕时，是否全程参加了产前培训班；或是问问他是否还记得当初知道自己将为人父时的感受。

你很有可能会发现，他当时根本没做太多事；他也从来没有给他的宝贝儿子喂过配方奶粉。

他没做过这些事并不意味着他是英国电视剧《灰飞烟灭》中的吉恩·亨特探长那样的硬汉——尽管他可能曾那么穿戴。这只是因为从没有人指望当时的父亲们会这么做。

但是，如今的时代变了。我猜正在阅读本书的你应该是将为人父或期待成为准爸爸的男人，所以以上提及的种种事情以及更多的事情都等着你去做。不过，你现在很有可能还一头雾水，试图理清思路。你还可能在一遍遍跟自己和哥们唠叨着：我还没准备好。你也一定在思考着孩子的出生对你自己的影响，以及你自己到底该扮演什么样的角色。

我之所以知道你是这么想的，是因为我当时也是这么想的。我在为英国《父亲季刊》供稿时聊过的许多新手父亲们也都是这么想的。我自己当时也完全不知道该怎么办。很多时候我也不清楚为什么自己的老婆会做出这样或那样的举动。为了和她肚子里的小东西交流感情，我还着实费了好大的劲儿。我当时甚至都不确定自己是不是真的想当爸爸。即使是现在，孩子都出生五年了，我有时候还会突然怀疑自己是不是当爸爸的料。

我当时最需要的是一本给准爸爸实用建议的书——当时没有得到，现在市面上也还是没有。在那些无法安眠的日子里，我是多么渴望能够有来自专家的建议作为参考。因为我想要尽到自己的职责，却全然没有头绪。好在在这本书中，你将会得到各种来自专家的建议，它们主要来自梅尔文·登斯塔尔，他是一位产科男医生同时也是一位父亲。你还会获得来自助产士、心理学家以及健身专家的建议。

其实，在你的孩子降生之前，即呼吸到第一口空气之前，在你的那群精子“提枪上膛”的时候，父亲这个将伴随你终身的角色早就已经开始了。

在如今的社会中，男性和女性共同承担着维持家计的责任，所以现代父亲的角色也要与时俱进。

我们需要做得“到位”。我们需要在妻子确定怀孕后接下来的九个月里继续供养家庭；需要与妻子一起做出重要且足以改变命运的抉择；需要从小伙子成长为父亲；需要同未出生的孩子交流感情；我们甚至还要发表自己的意见，不管是关于尿不湿的选择还是顺产与药物助产的选择。

这个任务确实让人望而生畏，但是熟悉一下“业务”，掌握一些医学术语，了解自己的责任，其实也没有什么难的。本书的初衷就是让准爸爸们不管是在妻子的孕期，还是孩子出生早期都能随时查阅自己所需的育儿知识。

同样重要的是，你如何能切实地履行你的责任。据一项研究显示，在孩子出生之前，准爸爸越早能够习惯父亲的责任，就越早能进入父亲这一角色。这样准爸爸们不仅能对妻子与孩子尽职尽责，更能对他们不离不弃。

这项研究还发现，在妻子怀孕的早期就掌握很多育儿知识的准爸爸们更不容易在以后的生活中得上抑郁症，也更容易与自己的孩子建立起良好的亲子关系。

好吧，首先还是要祝贺你成为准爸爸。

不管你是自愿购买、借阅、浏览、翻查还是被迫阅读这本书，都是因为你要做爸爸了。你已经听到妻子说过："我怀孕了"，而且你也确定这是你"惹的祸"。所以，如今你不得不在书店里从来没有去过的育儿专区查看这本书。

相信我，跟老婆一起怀孕是一个不错的点子。

目 录
Contents

发现自己要做爸爸了 孕期：0~8 周

开始承担爸爸的职责 孕期：9~12 周

孕检过程 孕期：13~16 周

孕期性事与准爸胎教：大肚子不再是负担 孕期：17~20 周

平稳期的准备工作 孕期：21~24 周

chapter 6

孕中期的其他准备：育儿室和父亲身份 孕期：25~28周

chapter 7

准备好应对突发情况 孕期：29~32周

倒计时开始 孕期：33~36 周

准备卸货 孕期：37~40 周

宝宝出生

带宝宝回家 宝宝：1~2周

第六周的“警告”…… 宝宝：3~6周

发现自己要做爸爸了 孕期：0~8 周

当你和老婆还沉浸在怀上了的惊喜之中时，来看看胚胎是什么情况吧。此时，胚胎已经开始成长了。第 5 周以后，心脏、大脑和脊髓开始慢慢形成。到第 6 周的时候，胚胎大概有 5 毫米长，跟桌上弹指足球队员一样大，只是没有底座而已。此时，这个小生命的神经系统已经开始发育了。第 8 周开始，小眼睛、小耳朵、四肢也开始长出来了。

1. 我是不是要当爸爸了?

你老婆可能会怀疑自己怀孕了。你也有可能会觉察到她身上的一些症状。如果你想多发挥一下自己的侦探幻想的话，可以寻找以下的一些线索：

消失的月经

确实，想要察觉这个细节可不容易，但如果你老婆跟人打电话或是聊天的时候提起此事，那你可要竖起耳朵了。月经消失说明她每个月经期应脱落的子宫内膜没有正常蜕掉。

她体内每月产生的卵子可能已经同你的精子结合，开始发育了。一旦卵子受精，身体就会释放激素，使得子宫内膜增厚，这样子宫内膜就不会再每月蜕膜，并产生经血了。但是请千万注意，别放松警惕。因为据产科男医生梅尔文·登斯塔尔称，有些女性即使是在孕期，也会有少量经血。因此你要做好心理准备，在老婆的孕期，类似的假信号比比皆是。

奇怪的口味

这是正常现象，许多孕妇会突然厌恶平时惯常的口味。她们可能会突然对茶水、咖啡、意大利灰葡萄、香烟等等情有独钟，而这些都是常见的信号——说明她怀上宝宝了。还有些孕期女性说自己口中有“金属”的味道。如果她近期没有补牙也没有喝过杯子里泡着茶匙的水……好吧，伙计，广大的婴幼儿用品公司正在等着赚你的钱呢。

清晨的孕吐

现在各种线索已经越来越容易觉察了。其实说“清晨的孕吐”并不是很恰当，因为孕妇在一天中的任何时候都有可能突然想要呕吐，还有一半孕妇完全没有过孕吐的经历。你要做好心理准备，因为你会发现很多类似的关于孕期症状的经验是因人而异的。如果孕妇确有孕吐，也往往发生在孕中期和孕晚期。

作为一个准爸爸，你要知道，怀孕的压力会让老婆本已非常敏感的消化系统更加不受控制——所以你要尽可能让她平静，避免孕吐。

至少在接下来的几个月里，你要做好改变自己饮食习惯的准备；如果她不愿做饭，也合情合理，不要感到惊奇。有时候即使是原来特别喜欢的菜，都有可能使她突然“爆发”。

各种强烈愿望

你应该感到幸运，因为你可以发现她怀孕的早期症状，那就是对食物的渴望，说不定是铁板鸡肉呢。90% 的孕妇有渴望某类食物的经历，而这种情况主要发生在头一个孕期。一些孕妇渴望吃到易消化的食物，如土豆泥、燕麦粥和面包。这类单调乏味的食物往往富含碳水化合物。她或许还会想吃另外一些甚至不是食物的东西，包括煤块和黏土。有时候，你得大晚上冲到超市为她买某种食物。但其实，你真正应该做的是转移她的注意力，让她忘记她根本就不该沾的东西。比如，当她突然特别想要抽一支特醇万宝路的时候，你应该带她出去散散步。

嗜睡

白天，孕妇总是感到十分疲惫，晚上上厕所的次数也越来越多。孕妇除了有疲惫感，还会出现情绪波动——她可能会突然哭泣，或是对胎儿的健康感到无端焦虑。上述情况在接下来的 9 个月里，甚至更长时间内都有可能随时发生。

胸部肿胀

此时，她的胸部会显现出越来越多的静脉血管，乳房也会变得越来越大，乳头颜色变深或是更加突出。这些症状我们男人很容易注意到。我敢打赌，我们会比老婆更早发现此类变化。但是别想得太美，肿胀也会使胸部变得更加娇嫩——只能看，不能碰。

当然，上述各种迹象还不能作为最终结论。这就是为什么成千上万的夫妇还要掏腰包，利用现代科技这种最佳办法来确定是否怀上了。

2. 验孕方法有哪些?

其实许多时候怀孕是在家里自检出来的，方法是测试女性的尿液中是否含有人绒膜促性腺激素（HCG）。验孕棒是一个非处方化学试剂盒，可供女性自己通过非医学手段检测是否怀孕。

验孕棒的出现彻底改变了肥皂剧的情节，它经常会出现在某个女性角色的浴室壁橱里或其他地方，而观众之前一直以为这个角色根本就没有生育能力。验孕棒在 20 世纪 70 年代问世，它的出现改变了夫妻确认怀孕与否的方式。如今，它依旧是人们最常用的验孕方式。

对准爸爸们来说，验孕棒的样子和量油尺有些相似。验孕棒的使用方法是往上面滴一滴女性的尿液。至此，你就什么都不用做了——这种试纸能在很短时间内检测完毕，没有哪个男人会对结果不感兴趣的。因为检验结果很可能会影响你未来几十年的人生，所以学学怎么使用这玩意儿还是很值得的。

你知道吗?

尿液验孕

靠检查女性尿液来确定是否怀孕这一方法可以追溯到几百年前。在一本 16 世纪的小册上记录的一些案例中，一些“赤脚医生”通过检查女性尿液的颜色和浓度来确定其是否有身孕。一些“江湖骗子”甚至往女性尿液中掺入葡萄酒，通过观察尿液中蛋白质同酒精之间的化学反应来判断。

尿液验孕的原理是什么呢？

人绒膜促性腺激素（HCG）是由胚胎周围组织产生的，这些组织最终会发育成胎盘。据梅尔文·登斯塔尔所说，每次女性月经过后，这种激素就有可能通过尿液检出。当尿液浸湿试纸后，会通过一层抗体，这种特殊抗体会同绒毛膜激素发生反应。如果尿液中含有绒毛膜激素的话，反应即呈阳性。

验孕棒品牌有很多，一般的药店或医院都有售。男人如果在家里浴室壁橱里发现这些品牌，一定会吓个半死。只要把试纸对着尿线沾湿，只需几分钟，就能在显示器上看到结果了。如果有孕的话，显示器上应该会显示一个蓝色的“＋”号或者是“阳性”。如果是“－”号，那说明她没有怀孕。

验孕棒的准确性如何？

验孕棒的准确率达到97%以上——至少产科医生们是这么说的。一些品牌的验孕棒非常灵敏，即使是在下次经期之前，都可以检测出HCG。但是，过早做测试有可能会造成“假阴性”（假阴性，实则就是阳性）。如果验孕测试为阳性，结果往往是正确的——但是“阴性”结果就可能是错的了。如果事后又发现老婆其实已经怀孕了，那可会带来不小的震惊，除此之外，还会造成计算分娩和怀孕时间的混乱。最后导致整件事跟肥皂剧一样让人紧张兮兮的。

为了避免这样的问题，验孕棒往往包含两次测试。这样，老婆就能在一天内得到再次验证。

问问任何一个你认识的当爸爸的人，看看他们知道自己将为人父时，身处何处。他们肯定要么是在工作单位，正跟老婆通电话；要么就是在家里的沙发上喝着小酒；如果都不是的话，很有可能，他当时正趴在卫生间门外边，而一门之隔的是他有些焦虑的老婆，手里还握着验孕棒。

孕妇们发现自己怀孕往往是在清晨，因为医生往往建议在清晨进行验孕，而且是用早上第一次排出的尿液来测试。这是因为人们觉得这时候尿液最浓，所以里面含有的 HCG 也就最多。其实，检测的时间并不那么重要，因为只要尿液中含有 HCG，就能检测出来。

你知道吗？

晕！我怀孕了

1927 年，科学家第一次通过实验检测出尿液中的绒毛膜激素。当时的验孕方式是把女性的尿液注射到幼鼠体内。如果这名女性没有怀孕，那么幼鼠不会有任何反应。但是如果这名女性确有身孕，幼鼠便会很快性成熟。在自然条件下，这种情况一般是不会出现的。

3. 老婆怀上了有什么“好的”？

听说自己要当爸爸了，不同的男人肯定会有不同的反应。不过，几乎可以肯定的是，“我怀孕了”这句话会让人感到一丝焦虑。在把这个消息告诉你之前，你老婆肯定已经一直在心里思量着此事对她今后人生的影响，所以，如果她无法立刻回答你所有的疑问的话，千万不要惊讶。

如果你听说自己要当爸爸了，心里却没有什么波澜，这也没有什么好担心的。你当时的反应不代表你以后在老婆孕期的反应，也不代表你成为父亲后的反应。许多男人刚开始会感到颇为犹豫。一些在产前培训班接受我采访的准爸爸承认，听说老婆怀孕后，他们心里五味杂陈。有人得意洋洋（“我成功了”）；有人心里冒出这样一个意识：厄运临头了——尽管这点很少有人会说出来。

你和老婆一定会陷入某种深思，如果你有焦虑感，也并非个例。据专门研究年轻父亲的心理学家拉塞尔·赫恩称，感到焦虑是因为对于两个人来说，稳定和幸福的感情是一回事，而有了孩子就是完全不同的另外一回事了。

有了孩子意味着要改变，因为这件事可不是仅仅为小孩儿换纸尿裤那么简单。据赫恩称，有些准爸爸认为自己的人生还将一成不变，但是他们往往会经历极大的震撼，并且需要做出巨大的调整。

许多准爸爸都有相同的反应，那就是保持沉默，然后在心里静静地反省自己对这份感情的承诺。赫恩认为，孩子的出现意味着稳定的感情中需要增添一份新的责任。

几乎所有的准爸爸都会质疑自己成为合格父亲的能力，他们不仅仅现在会质疑自己的能力，以后几年还会不断地质疑自己。如果你心里有此类疑虑，不妨和老婆沟通一下，但是最好不要向她表示自己“无法胜任”。跟老婆谈谈对未知的担忧无可厚非，但是如果你忧心忡忡的话，不妨跟其他曾与你有着同样处境的准爸爸聊聊，从他们那里获得一些经验。你可以跟以下这些人进行沟通：

- 医生
- 男性朋友，尤其是当了爸爸的朋友
- 仅有男性参加的产前培训班的朋友
- 网上父亲育儿论坛的网友

准爸爸经验之谈

发现和反应

几个来自英国萨里郡里士满产前培训班的准爸爸们允许我对他们进行跟踪记录，追踪包括他们老婆从怀孕初期直到分娩和育婴的全过程。他们的见解将会贯穿本书始终。

“我很清楚地记得当时的地点，还有我们的对话。萨拉那个月没有来月经，然后她就用验孕棒做了检测。她打断我看电视——这让我很不爽，但是她接下来就告诉我她怀孕了。我当时根本无法相信——我就只当是检测错误而已。直到去医院做了超声波扫描，我才相信这是真的。”

——多米尼克

“我从单位下班回家，她对我说‘我们要有孩子了’。其实，当时我们并没有这个打算，已经商量好要推后几年再说，但是我当时还是很高兴，当然也有些惊慌。怀孕早于我们的计划，但是我们已经有了幸福的婚姻，有了房子，还有不错的工作，有孩子是顺理成章的事情。”

——查理

“梅尔的月经像钟表一样准时，所以她每次都知道“自己的亲戚”什么时候要来了，而且能精确到几小时之内。为了让她怀上，我们仅仅试过几周而已，所以她有一天带着验孕棒回来的时候，我还有点儿半信半疑。当时是她该来月经的那晚上，恰好第二天我还有一个和工作有关的考试。我为了这个考试下了不少工夫，所以担心这个消息（不管怀上与否）会分散我的注意力。因为如果是阳性，我当然会狂喜；如果是阴性，我必然会很失落。其实我也明白，头一个月尝试受孕就成功并不常见。我最后还是劝说梅尔第二天早上再做孕检，一方面是等等看她会不会来月经，另一方面是为了让我能够集中注意力，安心准备考试。”

——马修

“我老婆做了个孕检测试，结果呈阳性。我们已经试了很久了，还去看了专家，做了各种检测。我们两个人都健康，医嘱是女方要‘放轻松’。我们到巴黎去过结婚纪念日，喝得烂醉，过得非常开心……仅几周之后，她就怀上了。我感觉自己的心都‘醉’了！我太高兴了！”

——汤姆

4. 准爸爸们都有何反应?

"你确定吗?"

这样的反应很常见，也很正当。因为老婆如果不做孕检测试，也没法给你打包票。即使做了测试，她也只有97%的把握。对于许多男人来说，97%的把握可不够。除非有一份有着知名医学专家签名的书面证明；或好伙伴跟你热情地握手，拍拍你的后背；或拿到B超的片子；或亲眼看见老婆隆起的小腹；或发现老婆渴望吃到沾着布兰斯顿酱的棉花糖。但是即使有了这一切，很多准爸爸们还是会继续质疑到底有没有怀上孩子。

等到第4个月的时候，所有准爸爸们才能确信无疑。

"孩子是怎么怀上的?"

好吧，这样的反应也算正常。回想一下当时是哪些事促使你买本书的？那些事应该脱不了干系。

"孩子是我的吗?"

这个问题其实并没有那么无礼，也不是基于对老婆的不信任。当然，孕妇可不一定这么认为。利物浦约翰摩尔斯大学在2005年进行的一项调查显示，在英国，每25位父亲中间就有一位不是自己孩子的生父。这个数据统计的出炉，导致亲子鉴定的案例飙升。

2005年，DNA生物科技公司援引一项调查结果称，英国每年有2万例亲子鉴定，其中5000例是应裁定子女抚养费机构的要求进行的。剩下的15000例中，大多数要么是儿童想要确认自己的生身父母，要么就是爸爸们想要确定自己是不是“孩子他爹”。

准爸爸答疑

“小小的奇迹”——“造人”过程

如果你不知道这一切究竟是怎么回事，那你至少应该知道精子的产生是整个生殖过程的起点。男孩从十几岁开始，睾丸每个月都会在阴囊内部一个叫做精小管的部位制造大约120亿个精子。

20天后，这些不成熟的精子会进入位于睾丸顶部的附睾。在这里，精子继续发育，直到被“征召入伍”，然后去“冲锋陷阵”。

当你的阴茎勃起，并辅以适当的刺激，大约3亿精子会准备好进入上方的输精管。输精管连接睾丸与前列腺，后者使得精子同少许果糖和碱性体液混合。顺便提一句，如果你不想再使用避孕药具，体验无精液高潮的话，只需做输精管切除手术，将输精管“一刀两断”就可以了。

精液中的果糖相当于精子的燃料，使得精子进入“亢奋”模式，变得活力四射。这样，精子一旦被释放，便能信马由缰。你也一定想到了为什么小孩儿对糖果那么狂热了吧。

前列腺的碱性物质能够保护你的精子。也许你觉得这个说法跟科幻小说没什么两样，但是事实上，这些碱性物质能够中和女性阴道和子宫里的酸性体液。这可和你原来想的不同了吧，人类可不像科幻电影里的异型生物一样产卵。

在精子、果糖和碱性体液射出体外之前，它们先得经过男性的前列腺。在这里，它们会同前列腺分泌的一种黏稠物质混合，最终形成精液。所以当你达到高潮的时候，射出的精液中包括3亿精子、果糖、碱液和前列腺分泌物——这些混合物会抵达女性阴道。当然，如果这只是"演习"的话，精液也有可能会"撞墙"，困在安全套顶端的储精囊里。

经过这样的描述，想必你的脑海中会出现这样的画面：泉水似的精液喷射而出，就像消防员手中的水龙头喷射出的水一样。但是，据科学家研究（他们的研究方向可真没劲），男性平均每次射精量应该在1.5~5毫升之间。是的，就是这样，花20天制造，再经过生殖器官的稀释，最后通过你的"小钢炮"喷发出来的，也就只有一茶匙那么多的精液；而你为了这一晚，还得盛情宴请、展示魅力、花言巧语，说不定最后还得苦苦哀求。

尽管如此，这一茶匙的量一旦抵达女性体内，还是能够征服一切前进道路上的挑战。精子的活性能达到24~48小时，在此期间，它必须找到卵子，并与之融合。你会觉得，这有什么难的，里面有3亿多只"小笨蛋"呢。可是它们要经历重重困难，从一开始，女性体内的酸性液体就会杀死众多精子。而且往往在射精后，很大一部分精液很快会从阴道流出来，最后被洗衣粉带到下水道里。只有那些最强壮和最健康的精子能够逆流而上，穿过宫颈，抵达子宫和输卵管。

然后就是看时机是否合适。如果你的老婆正在排卵期，那么输卵管里会有卵子。如果卵子没有受精，最后会随着脱落的子宫内膜一起，作为经血的一部分流出。如果卵子在输卵管中，那么需要200个精子一起溶解卵子表面的一层保护膜，这些精子会附着在卵子表面。最后只有一个精子能够继续前进，进入卵子，完成受精。这样，你和老婆就创造出小生命了。

讲到这里，我们再回头看章节开头孕期介绍里面的内容。女性怀孕第5周的时候，她已经怀疑自己月经消失是因为怀孕了，而受精卵已经形成5毫米长的胚胎，并且会产生HCG，而HCG恰恰就是让验孕棒显示“阳性”的激素。如果你和老婆决定把孩子生下来的话，下一步就是计算孩子的预产期了。

5. 怎么计算预产期?

预产期是你在成为父亲的道路上所要听到的一大堆医学缩略词中的第一个。其他还有很多让你晕头转向的专业术语缩略词：末次月经、双顶径、头围、宫高、羊水指数——这些词汇你以后都会接触到。

为了确定预产期，你的老婆需要去找产科医生或是产科医生，以便对验孕棒的测试结果进行确认。据梅尔文·登斯塔尔称，一般来说主要是产科医生（也会有一些医生）参与产前护理；孕妇需要在怀孕第8周去接受产科医生检测；根据现行英国国家临床技术研究院（NICE）的指导意见，在怀孕第8周，孕妇需要进行预约测试。

预约测试的时候，你的老婆应该持证明到医院进行预约，以加入到产前项目中。之后，她还需要回答一些问题，包括既往病史、家庭既往病史（比如任何先天畸形）。她还会获知以后B超的相关情况。

差不多这个时候，你将获知胎儿的月龄以及预产期的具体日期。推算这些日期，使用的是日历记录法，也叫做内格莱氏法则——

“知识竞赛”迷们可要记牢这个小知识。这个法则是由一位名叫弗兰茨·卡尔·内格莱的德国教授发明的。这个法则可以用于计算预产期。此法则从1830年开始一直沿用至今。

此法则的算法是，女性末次月经的第1天加上1年，减去3个月，最后再加7天，所得的日期就是预产期了。这段时间基本上就是孕妇的平均怀孕时间，即末次月经后的40周（280天），或者是卵子受精后的38周（266天）……有些晕了吧，没关系，看看下面的计算表：

末次月经＝2009年5月8日

加1年＝2010年5月8日

减3个月＝2010年2月8日

加7天＝2010年2月15日

——这天就是预产期

如果这个算法看着还是麻烦的话，可以去直接求助于网络——这种可是很多的。你只要输入老婆末次月经日期，它就能帮你计算出预产期。

6. 为什么预产期这么重要?

其实，预产期并没有想象中的那么重要。据估计，即使用更准确的 B 超手段计算胎龄和预产期，头胎的婴儿也仅有 5% 的会在预产期当天降生。

尽管头胎的婴儿往往会晚于预产期出生，还是有大约 15% 的婴儿会早产（孕期早于 37 周）。准爸爸们知道预产期，主要是为了可以考虑以下一些事情：

决定你陪产假的日期

知道了预产期，你就大概知道自己什么时候应该请假陪产。尤其是当你有长期工作项目的时候，知道预产期还是很有用的。你还可以决定什么时候同老婆一起度假、长途飞行、坐过山车等等，因为往后孕妇可能就不能再进行此类活动了。

B 超和医生咨询

知道了预产期，产科医生和护士就能相应地估计不同孕期胎儿的月龄和胎儿的大小。据此，他们能够决定什么时候对孕妇进行 B 超和孕检。这对你也是十分有用的，因为医生有可能要求你在这些时候陪侍孕妇。尽管大多数女性对自己的经期比银行密码记得还要清楚，但是只有经过医院的 B 超检查，你们夫妻两人才能知道孩子的准确月龄、大小和预产期。

解决争论

知道了预产期，不管是什么争论，比如怀孕时间或者是孩子的父亲是谁这样的问题，就迎刃而解了。举个例子，如果有人6月2号才假释出狱，孩子怎么可能是4月11日怀上的呢？

准爸爸答疑

恭喜你！受精卵已经发育成囊胚了！

在胚胎发育的前几周，它的学名会变好几次。当然，它自己可全然不知。你身边的大量医护人员都会使用此类产科名词，但是即使是格温妮丝·帕特洛（著名好莱坞女星，是人们眼中知性的典范，曾凭借《莎翁情史》一片获得第71届奥斯卡最佳女演员奖。——译者注）这样的知性女子也不会喜欢记这类词汇。这些词汇包括：受精卵，指的是精子穿进卵子后，与卵子结合后的细胞；另一个比较常见的词就是囊胚。囊胚，是指当受精卵分裂，形成的一组中心细胞，表面还裹着一层外围细胞。这些中心细胞会变成胚胎（第3个学名了），外围细胞会变成胎膜，为胚胎提供营养和保护。

第8周的时候，也往往是发现老婆怀孕的时候，胚胎大概有22毫米长。胎儿（这个阶段，应该叫胎儿了）的脸、脚、手指开始成形，内部器官也开始发育了。此时，胎儿的心跳也已经可以通过B超检查到了。

开始承担爸爸的职责　孕期：9~12 周

看着老婆的腹部，想象着里面发生着什么变化？从第 8 周开始，胎儿开始长出指头了，包括手指和脚趾。骨骼开始形成，耳朵也开始发育。仅仅再过 4 周，胎儿就完全成形了——到那时，它的四肢、身体器官和骨骼都已发育成形，而且它也开始活动了，但是你的老婆还感觉不到，因为此时的胎儿也就跟拇指一般大。

1. 每个孕期都该做什么？

整个妊娠过程被分成三个“孕期”，每 12 周（3 个月）为一个孕期——在每个孕期里，医护人员甚至包括你，都期待孕妇和胎儿出现特定的表现。

第一个孕期：0 ~ 12 周，即孕早期；

第二个孕期：13 ~ 27 周，即孕中期；

第三个孕期：28 周直到分娩，即孕晚期。

大部分孕妇分娩是在 37 周和 41 周之间。

每个孕期之间没有明确的分界线，而且每个孕妇腹中胎儿的成长速度不同，她们的症状也不同。对于准爸爸来说，每个孕期的不同主要体现在医生对孕妇不同的医嘱上，因为孕妇在上一个孕期能做的事情，在下一个孕期也许就不能再做了。举个例子，处于第一个和第三个孕期的孕妇不适合进行长途飞行。因为在第一个孕期进行长途飞行，有流产的风险，而在第三个孕期，则有可能会导致孕妇在国际航班上分娩。

下面大体介绍一下准爸爸如何充分利用不同的孕期。

- 孕早期是准爸爸改变生活习惯的好机会，如：戒烟、习惯父亲这一角色、准备好面对人生的变化。

- 孕中期是准爸爸解决实际问题的好时机：弄清楚陪产假的时间、装饰婴儿房。

- 准爸爸们都希望在老婆分娩时和婴儿降生几周内更快地进入角色。孕晚期就是准爸爸预演自己角色的时候，这个时候前期的产前培训班开始发挥作用，而此时老婆可能已经不再去工作，你们也开始急急忙忙地购买各种育儿用品。

2. 怀上以后，准爸爸要做什么？

老婆在家中用验孕棒自检出“阳性”，并告诉你：“我有了。”你估计得适应一下，才能接受这个事实。其实你们双方都在适应这个事实，而且此事也只能在你们两人之间讨论，因为你们还没有准备好对外透露这个消息。

对很多准爸爸来说，现在是“虚假战争”时期。“虚假战争”时期，原指在 1939 年二战打响后，英国显得有些惊慌失措的时期。那时候，防空机枪已经架设完毕，防毒面具也分发到位，沙包也在商店门口堆好了，但是却什么都没发生。没有敌机轰炸、没有毒气，什么都没有。当然，二战时的“虚假战争”没有持续多久，相信你的“虚假战争”也不会持续太久。准备好面对各种花费和各种任务，包括买婴幼儿服装、带老婆做 B 超、买孕婴书籍、应对街上陌生人对老婆的眼神“调戏”，还要同老婆不停地谈论关于小宝宝的话题。

趁着真正的战斗还没打响，先暂时“享受”下“虚假战争”吧。赶快让自己进入角色，做一个无微不至、身心健康的准爸爸。

在第一个孕期里，父亲要做大量看似琐碎却非常重要的工作。当然，你做这些琐事的时候可不会在脑海中出现陪小儿子踢球的画面；也不会享受到头一回听到小女儿指着一只鸽子大叫“鸭子”的特殊时刻。尽管如此，这些琐事却关系到老婆和她腹中胎儿的幸福健康。这些琐事包括：

收拾干净猫狗的粪便

想起某次假装没看见地毯上的猫粪，你可能会不好意思，因为当时你还指望着老婆自己去收拾——“毕竟，这是她的猫咪嘛!”如今你可不能这样了。及时清理花园或屋内猫狗的粪便是所有准爸爸的首要职责。猫狗粪便可能会导致孕妇出现弓形虫病。因为猫狗粪便中可能会带有弓形虫，而弓形虫病会造成死胎或胎儿流产。

当然，你不能因此就立刻把家里的宠物关进笼子，送到动物检疫机构。你只要保证老婆不会接触到猫狗的排泄物就好。如果不得已，老婆需要自己倒垃圾的话，一定要带上一次性橡胶手套，而且盛垃圾的器皿使用后要用开水浸泡5分钟。

因此，家里养有宠物的孕妇在怀孕12周左右的时候，必须到医院进行弓形虫检查。

彻底清理花园

原因和上一个基本相同。猫咪喜欢把粪便埋起来，这对未出生的孩子来说，后患无穷。同样，如果你想要收养一只小羊羔或者计划参观当地农场的话，可要注意了，因为绵羊和羊羔不仅可能携带弓形虫，而且还能携带鹦鹉热衣原体，这是另一种能致孕妇流产的微生物。看到这里，你会困惑为什么上帝会让羊出现在身边。

妥善处理生肉

如果你是家里的大厨或者是喜欢烤肉的美食家，那你可要注意了。孕妇可能会因为接触生肉或者是半熟的肉而感染弓形虫。据英国国家医疗服务系统估计，英国每年大约有2000名孕妇感染弓形虫，其中63%是由于食用半熟的肉和熏肉制品。

如果孕妇感染弓形虫，症状其实很轻微：喉咙肿痛和低烧。其实真正受到威胁的是孕妇腹中的胎儿，孕妇可能会因此流产或使胎儿的眼部受到感染，孩子出生后认知能力出现障碍的可能性也会增大。所以一定要防患于未然，你要负责保证自己和老婆在处理生肉之后洗手，并且避免食用熏肉制品，比如熏火腿。

做饭时要保持警惕

给孕妇做饭有点儿像是买彩票。在做的时候，她急切地想要品尝；可是饭菜上桌之后，她脸上又可能露出作呕的表情。这是因为一些特定的气味和味道能够引起孕妇呕吐。在做饭时，尤其要注意以下事项：

- 一定要保证所有的肉制品都是完全熟的，而且在吃的时候必须是热的。
- 水果、蔬菜和沙拉在吃之前，一定要洗干净。
- 有些食物是很危险的，比如螃蟹、薏米、甲鱼等，这些寒凉性食可能能导致孕妇流产。

蛋类食物也要处理好

对于孕妇来说，她的所有食物都得经过谨慎处理。由于孕妇免疫系统相对脆弱，所以更有可能会通过食物传染上沙门氏菌。尽管沙门氏菌无法直接伤害到胎儿，健康专家还是建议孕妇避免吃类似“自制”蛋黄酱的食物。在烹饪鸡蛋的时候要注意以下事项：

- 英国食品标准局建议，一个中等大小的鸡蛋至少需要煮 7 分钟，才能给孕妇食用。
- 煎蛋时要把鸡蛋两面都煎熟；如果是荷包蛋，要等蛋白完全成为不透明的固态，蛋黄也变成固体才能吃。对于中等大小的鸡蛋，煎蛋大概需要 5 分钟。
- 鸡蛋要与其他食物分开储藏，不要食用过期的鸡蛋和破了壳的鸡蛋。

3. 孕妇现在是什么感受？

怀着孩子的是老婆，你当然不会有什么感觉，但是她无疑会感觉到胎儿对她的影响。在第一个孕期里，孕妇一般会感到疲劳和恶心，并且症状还颇为明显。但是，因为她的外在体型还没有发生什么明显的变化，所以你很难理解她的感受。

对于孕妇来说，第一个和第三个孕期往往是最棘手的时期，不管是坐飞机，还是性生活都是如此，主要是因为她腹中的胎儿正在迅速成长。胎儿会间接摄入母亲的食物，消耗母亲的元气，从而使得孕妇情绪波动，如：情绪低落、易怒、讨厌自己、讨厌隆起的小腹或是讨厌你。其实，多数情况下，不满情绪是冲你来的。

随着时间的推移，她会越来越感到四肢乏力，所以此时的准爸爸就更应该积极主动、无微不至地照顾老婆了。你会不再有“虚假战争”的感觉，而是集中注意力当一个称职的准爸爸。

似乎大自然母亲就是这么安排的，你此时养成的好习惯和戒掉的坏习惯对你未出生的孩子来说都是极好的事情。你现在需要规划一些日常任务，比如定期收拾屋子。这会减轻孕妇的负担，因为接下来的 8 个月里，孕妇基本上不能做任何家务。结果你会发现似乎只有你自己在为生孩子这事儿奋战。

4. 我适合当爸爸吗？

也许你觉得老婆怀孕不会改变自己的生活，但是老婆不能承担所有的生养任务，你需要跟她一起“怀孕”。在未来的很多年，你也需要跟老婆一起，承担起养育孩子的责任。当然这不一定是你去健身房的好理由（也许你已经开始健身了）。可能你也正在考虑注销你的健身会员卡，因为这可以省一小笔钱。千万不要这么做！去健身能保持身体健康、消除压力，还能缓解紧张情绪；健身房也能让你忙里偷闲。这些好处是酒吧所不能比拟的。所以，请保持健身的好习惯，或者开始养成健身的习惯。

我是否应该戒酒?

除非你真的想戒酒（不太可能，老婆怀孕往往让你更想多喝两杯），或者你的医生建议你戒酒（说实话，一般不会），或者你认为戒酒对老婆有好处。也许你们两人以前习惯在家中小酌，而如今假定你还保持喝酒的习惯，她则很有可能无法成功戒酒。考虑是否戒酒可以参考下面四个理由：

- 孕前培训专家认为，双方应该一起做些牺牲，比如一起戒掉一些旧的坏习惯。这往往能够增进两人的感情。

- 站在老婆的立场上想想，请不要在她面前喝酒，这样同时也能降低她呕吐的次数。偶尔周五下班后多喝点儿，弥补一下平时的缺憾也没有什么不好的。但是很快你会发现，伴着宿醉带来的头痛去照顾新生儿可真是件苦差事。

• 你可以利用戒酒这件事当做为迎接未来其他变化而做的演练。夫妇俩现在发掘其他一些消遣方式（喝酒除外），在孩子出生后将会十分有益。而且，你可以计算一下如果戒酒一两周能节省多少钱，然后参考一下第六章将要介绍的育婴“必备清单”。正好借此机会，还能改改你追求名酒的习惯。

• 你要习惯于夜间在家保持不醉酒，因为在孕期的最后一个月，医院可能需要你“随叫随到”。

我该戒烟吗？

几乎所有医生、产科医生、孕婴书籍、老妇、年轻妈妈都会警示你的老婆：喝酒，尤其是吸烟会直接伤害到胎儿。你当然也能一起督促自己的老婆，但是如果你也能做出一些改变的话，更能够帮助老婆一起改变。

如何才能戒烟？

如果夫妻双方都吸烟的话，反而比只有一方吸烟更容易戒烟。

五步戒烟法

戒烟的方法和技巧非常多，这里介绍一个英国国家医疗服务系统戒烟项目中的一种戒烟方式。

• 确定一个戒烟日期。你和老婆应该越来越习惯使用日历标注日期了吧。所以确定日期不是什么难事。选一个很近的日期，告诉自己：过了那天，再也不吸烟了。

• 告知家人、伙伴和同事，以及任何你平日讨烟抽的人：我要戒烟了。你可以在告诉他们你将为人父的同时，向他们声明你要戒烟的决定。

• 对戒烟可能遇到的挑战要有心理准备。如果你和老婆习惯于

做某些特定的事情时吸烟，如：泡吧时、晚餐后，你要打破这些习惯，并且打破特定事件和吸烟之间的联系。

- **把家里和车中的香烟都扔掉，尤其是家里的。因为你即使在别的地方忍不住想吸烟，也不要在家中和老婆面前吸烟。**

- **寻求医生的帮助来戒烟。如果你正好陪老婆去医院孕检，可以借机询问关于戒烟组织的事情。戒烟组织会提供相关建议、戒烟辅助品，如戒烟贴和口香糖。你还能获知香烟对精子有什么影响：香烟的副作用会影响生育能力。真奇怪，那么多烟民还是成功当了父母。**

为什么不能等宝宝降生再戒烟呢?

你想把坏习惯保持到最后一刻再一次性戒掉，这也是可以理解的。但是你越早戒烟，胎儿受到二手烟影响的威胁也就越小。

如果胎儿长期暴露在二手烟中，更容易出现新生儿体重过轻或是婴儿猝死综合症，也就是人们常说的婴儿猝死。而且，当着老婆的面吸烟也不利于老婆戒烟。

你做出的任何改变对自己的身体健康，尤其是对孩子的未来人生都是有好处的。最近在米德兰兹郡对 286 名烟民爸爸进行的一个研究显示（这些爸爸在孩子 14 周时接受的采访）：78% 的父亲选择避免在家中吸烟，60% 的父亲成功控制了自己在孩子身边不吸烟。对于这些成功戒烟的父亲来说，关键原因有两个：一是尽量少吸烟，二是充分了解吸烟对孩子的危害。

美国华盛顿的一个肿瘤研究协会研究发现：二手烟的化学物质能够引起遗传损伤，并有可能造成孩子幼年患上白血病和肿瘤。此研究发现，如果孕妇吸到二手烟（来自家人、朋友或同事），一些血溶性化学物质会进入胎儿体内。

在其他一些类似的研究中，如美国路易斯维尔大学的一项研究发现，被动吸烟孕妇的胎儿和主动吸烟孕妇的胎儿体内的烟草致癌物含量，分别是不吸烟孕妇的胎儿体内此类致癌物含量的4～5倍和10～20倍。

你知道吗？

香烟会伤害婴儿的眼睛

来自荷兰的赫尼瓦尔德·兰汀和克朗进行的一项关于吸烟和儿童被动吸烟的研究显示，如果父亲每日吸烟超过15支，更容易造成婴儿过度哭闹（奇怪的是如果母亲这么做，不会产生这样的后果）。

5. 孕妇还能锻炼身体吗？

为人父母不代表你们就不能一起去健身房锻炼身体或者停止慢跑和骑车了。只要医生没有禁止，老婆在孕期还是可以安全地锻炼身体的。许多产科医生鼓励孕妇尽量坚持锻炼，以应对怀孕带来的身体负担。然而，孕妇应该清楚具体哪些锻炼方式是推荐的，而哪些应该是禁止的。（如果孕妇胎位偏低，有高血压或者怀有多胞胎，那么她不适合进行长跑）

6. 有什么“双人项目”能让母婴更健康？

一般来说，医生会建议孕妇进行适度的身体锻炼：每天锻炼 30 分钟，微微出汗即可。这样更有利于让你们生一个健康的宝宝。

这些锻炼可以让夫妻，更多地享受二人时光，同时也能帮助你们做些有益于自己的改变。等妊娠到达一定阶段，你们的一些消遣方式如泡吧都得暂时停止。这样其实还能省钱。如果两个人能够一起享受一些健康的消遣方式，还能减轻对酒吧的想念。

一起游泳

据称，在怀孕的头几个月里，游泳可以帮助准妈妈们保持身材。但是随着腹部越来越大，越来越重，孕妇在划水时会感到吃力，尤其是采用自由泳泳姿。跟你所想象的失重感不同，因为一些孕妇会觉得游泳时会往下沉！不过，如果你们以后想要尝试在水中分娩的话，这也算是一个训练。

练孕妇瑜伽

参加产前培训班时学习的呼吸练习和分娩角色扮演都能和瑜伽动作联系起来。瑜伽广告上往往会说瑜伽能够帮助孕妇缓解怀孕带来的不适感，而且一些准妈妈和产科医生认为瑜伽能够促进血液循环、放松身心并能缓解水肿。有些瑜伽俱乐部甚至还推出了促进怀孕的课程。

保持散步的习惯

毋庸置疑，散步绝对是夫妇俩在孩子出生之前最便宜和最简单的锻炼方式。但是路程不要太远，因为你会发现随着时间的推移，老婆在大街上溜达都是个相当困难的事情。一起散步能让你们双方都保持好身材。如果出门散步的话，要记着以下几点：

- 随身带些水。尤其是在气温比较高的时候，喝水能够补充散步时流失的体液。

- 量力而为。不必让老婆为了利于生育这个目的而“逼”自己走太多。散步时，以老婆的节奏为准。

- 随身带手机。老婆整个孕期都应该保持散步的习惯。但是预产期快到的时候，长距离行走不仅不现实，而且有可能会使老婆突然分娩。所以记得要提前把产科病房的电话输到手机中。

准备一个“男人背包”

总之得习惯背包，不论什么样式——最好是双肩包，只要自己感觉舒服就行。就像是大自然母亲设计好了的，老婆的肚子越来越大，她也就越来越不愿意出门在外的时候携带东西。所以她会把一切累赘扔给你。而且孩子出生后，你还要帮忙携带母婴必需的东西：尿布、纸巾、水瓶等等。（家庭增加的消费需求和身为人父的责任也随时伴随着你。）为怀孕的老婆充当搬运工也能为以后做准备。如果你有自己的背包，就不必在外帮老婆背着她那扎眼的粉红花纹背包了。

当爸爸的男性往往身材更好

当爸爸的男性从孩子出生到孩子满16岁之间所做的锻炼，同没有孩子的男性相比，要多出352个小时。

我应该怎么锻炼呢？

据一位同我聊过天的优秀健身专家称，老婆怀孕是准爸爸健身的绝佳理由。乔纳森·路易斯是两个孩子的父亲，也是伦敦拜伦理疗中心的一位理疗医师兼训练员。他坚信，准爸爸进入了人生的新时期，而且会面对越来越多的体能挑战，所以这时候是健身的理想时机。

路易斯有一套专为准爸爸设计的健身操。在家的时候，你一有空就可以练习。这套动作能够让你心跳加快，同时利用自身体重达到锻炼肌肉的目的。

这套动作十分方便，因为全部动作都在地板上完成，而你需要的唯一器材就是一张运动垫（把老婆的运动垫偷过来就好），特别是如果家里的地板没有铺地毯的话。

准爸爸俯卧撑

这种方式一般被称作“印度俯卧撑”。先两手撑地，双脚开立。和普通俯卧撑直上直下运动不同的是，“印度俯卧撑”先弓起后背，然后向前“俯冲”，直到胸口贴近地面，然后再撑起来，最后还原到初始位置。

据路易斯说，只要你的力量和柔韧性足够，动作越缓慢越好。要尽量缓慢地让头部、胸部和腹部依次“掠过”地面，越低越好。

这组动作能够锻炼到你的“核心部位”，也就是腹部和腰部的一系列肌肉群组。孩子出生后，你要经常抬起汽车座、婴儿车，还要弯腰给孩子换尿布，所以你的腰腹部力量越好，做这些杂事就越容易，而且你的腰腹也不容易扭伤。信不信由你，照顾孩子时，有许多爸爸因为需要做一些原本很少做的上提和伸展的动作，而不幸拉伤肌肉。

一些医生鼓励夫妻双方做普拉提或者其他肌肉拉伸的动作来锻炼身体。这是因为，移动家具等一些负重的活儿使得许多新生儿夫妻向医生抱怨背部疼痛。

产房深蹲

又一组简单却有效的动作。这组动作是模仿你将来在产房为迎接宝宝出生时有可能做的动作，不仅能塑形，还能提升你的耐力。

先采取蹲姿。路易斯建议你两脚距离要大些，这样能使臀部尽量下沉，利于深蹲。发力时，保持一侧的脚尖、脚踝、膝盖和臀部在一个面上。如果不能保持在一个面上，会不好用力，也可能会因此扭伤或者劳损关节。深蹲时用脚跟承担体重，然后再用力起来。

做动作时，两腿交替支撑和发力。先下蹲，把重心放到右臀，注意膝盖不要超出脚尖。此时，右腿发力，左腿支撑。然后右脚跟发力，起立，然后立马把重心放到左臀，下蹲。左脚跟发力，起立（如此反复）。

准爸爸俯卧式

不论时间地点，你只要有“一席之地”就可以做这组动作了。

四肢着地，保持俯卧姿势。保持身体笔直，腹部不要贴地面，用肘部和脚尖支撑躯干的重量。然后绷紧你的腹肌，努力保持脖子、背部和腿部全部伸直，坚持 10 ~ 15 秒，甚至 30 秒。这样，你又锻炼到了你的“核心部位”。等对俯卧这个动作习惯了以后，可以慢慢加长每次坚持的时间。

7. 什么时候能对外宣告我要当爸爸了？

在老婆怀孕的这条长征路上，你才走了几里地而已。这段时间充满着不确定性，因为在怀孕的头 12 周，25% 的孕妇会流产。许多夫妻选择在怀孕超过 12 周，甚至是第二次 B 超（20 周）后才会向家人和朋友透露这个消息。

在老婆告诉你“我有了”的那一刻，你肯定就迫不及待地想让大家知道这个消息。千万别急！如果她刚刚发现验孕结果为阳性，你可别急着给周末球队里的伙伴们发短信。原因如下：

夫妻二人要齐心

一起坐下来，列一个单子，计划一下准备把这个好消息告诉哪些人，并确定什么时候告诉他们。也许你非常想让所有人都知道，但是最好先把这个消息告诉比较要好的亲戚。在告诉一些特定的人之前要先考虑清楚，这些人包括以前婚姻中的老婆或者孩子。在告诉好友、家人和其他孩子前，换位思考一下，想想如果你是他们，你想别人怎么告诉你这样的消息。最好是当面告知。在社交网络上发布不是个好主意……

你需要先习惯老婆怀孕这个事实

一旦老婆怀孕的消息传到亲友中间去，你们的生活将会开始改变。所有的话题都会围绕着“小宝宝”。亲友们赠送的礼物会渐渐堆成小山。七大姑八大姨见了你就会问：“给小家伙取名字了吗？”

所以，最好还是自己先慢慢品味一下这个好消息。先用自己的方式庆贺，并且渐渐习惯老婆怀孕这个事实。最后再把这个消息告诉亲友。

你可能应该再等等

可能会出现突发状况。在本章开头的介绍中我们知道，在这个时期，小生命还极度脆弱。如果老婆有过流产经历，那么再次流产的几率也较高。因此，许多夫妻等过了特定的“坎儿”之后才会告诉亲友怀孕的消息。

你需要掌握细节情况

我本人当时就迫不及待地把老婆怀孕的消息告诉了所有人。当老婆确认怀孕后，她在诊所打电话告诉了我，但是警告我说：“先不要告诉别人，太早说不吉利。”可是午饭的时候，我已经在酒吧里喝着小酒，同事们拍着我的肩膀，向我握手祝贺了。记住，如果你想告诉同事怀孕的消息，至少要知道些细节问题。因为同事们，无论男女，肯定会立刻问你：“还有多久啊?”“预产期什么时候啊?”“你想要男孩还是女孩？你家那位怎么想的呢?”

她应该什么时候通知工作单位呢?

不同公司产假和陪产假的规定相差甚远，但是一般来说，老婆最好在预产期 15 周前通知工作单位，以安排产假的相关事宜。在这之前没有必要通知雇主，但是大多数准妈妈会提前告知雇主，不仅因为她们的肚子会越来越显眼，也是出于对雇主的尊重，因为以后需要请假去做各种孕前检查，重新排班并且还要确定自己的产假是多长时间。

在这个阶段我应该怎样帮助她呢?

老婆跟工作单位预约产假的时候，需要考虑一些新的问题（她很可能需要你的建议和支持）。如果你要休假一年，你会怎么想呢?先别急着庆贺，这一年的假期可不是让你去婆罗洲背包旅行，也不是让你跟着板球队去西印度群岛观光，你需要真正换位思考，考虑下老婆休产假时真正担心的问题。

她会担心休产假时在公司失去地位或是被他人取代位置——而且此人说不定更加胜任。如果你是她，你会怎么想?

她会担心休产假时错过了公司同事间的八卦、恶作剧和社交活动。如果你是她，你会怎么想?

她会担心休产假时不再有原来的生活规律——也许你每天抱怨日常工作的无聊，可是上班会让人感觉充实。如果你是她，你会怎么想?

老婆在怀孕期间的焦虑很可能包括担心自己社会地位下降，尤其是她决定完全辞掉工作的时候。她可能会想休产假的时候怎样聊以度日，因为唯一能交流的对象只有她的“迷你版”老公。这个小家伙还不会说话，而且除了饿了和困了，根本不想妈妈（这跟你很像吧，你明白我什么意思）。工作是我们生活中一个不可或缺的部分，所以即使是暂时地放弃工作也会让老婆感到焦虑。

准爸爸答疑

关于老婆的产假，你需要知道什么?

2012 年 4 月 18 日，中国颁布了《女职工劳动保护特别规定》，产假相关规定如下：

《女职工劳动保护特别规定》第七条 女职工生育享受 98 天

产假，其中产前可以休假 15 天；晚婚晚育，增加产假 15 天；难产的，增加产假 15 天；生育多胞胎的，每多生育 1 个婴儿，增加产假 15 天。女职工怀孕未满 4 个月流产的，享受 15 天产假；怀孕满 4 个月流产的，享受 42 天产假。

准爸爸经验之谈

孕期头几周

“同其他我所听到的情况相比，她表现得非常好。最大的意外是她开始喝啤酒并且喜欢喝汤了——她以前没有这样的习惯。”

——汤姆

“让我感到十分苦恼的是，在第一个孕期里，我不知道怎么帮助她减轻不适感。我得小心应对她的情绪变化；我要不断对自己说‘她的坏脾气是因为怀孕，她不是真的恨我！’欣慰的是，这样的状况没有持续太久。”

——马修

孕检过程　孕期：13~16 周

在这个月里，胎儿会猛长几乎 3 倍。所以，在第 4 个月开始的时候，胎儿身长还只有 85 毫米，到这个月底的时候就长到 140 毫米了。体重会长到将近 100 克。此时，利用多普勒超声检测仪可以检测到胎儿快速的心跳。对于一些孕妇来说，怀孕三个月的时候，腹部才开始明显隆起。到 12 周时，你的老婆已经度过了 1/3 的妊娠期，也度过了第一个“孕期”。接下来就是孕中期了。

1. 老婆做 B 超检查，我应该做什么？

简而言之，老婆做 B 超的时候，你要尽量做到全程陪伴。对于所有准爸爸来说，第一次在仪器屏幕上见证小生命的存在是很值得记忆的时刻。后面的“准爸爸经验之谈”中也会提到。

在整个孕期，孕妇需要定期去预定的医院或者医生的诊所进行 B 超检查。B 超检查自 1960 年投入临床使用，至今尚未发现任何危害。当然，你和老婆还是会有些担心，诊断报告上的文字不仅会报喜，也会报忧。B 超检查过后，你会带回家一张 B 超片子。小家伙的图像模模糊糊，难以辨认，看不出一丝“生命的迹象”。

这个在 12 周做的 B 超只是老婆妊娠过程中大量检测中的一项（下面会列出详表）。这次 B 超主要是为了确定预产期、胎儿个数、胎儿生长情况，以及胎儿是否有生理异常的早期症状。专业人士知道，通过 B 超能够看出胎儿是否有严重的生理缺陷。现在你也了解这一点了，更重要的是你的老婆也了解这一点。由于她会一直担心孩子的健康——只要孩子在她身边，所以准爸爸如果能做到以下一些事情，将会非常有益：

陪老婆接受检查

你至少要陪同老婆参加两次常规 B 超检查，包括怀孕 12 周时的第 1 次 B 超（即大排畸检查，检查胎儿是否有生理畸形和缺陷）。一般来说，检测结果往往是让人放心的，而且这是你第 1 次看到孩子的绝好机会，之后你就可以带着 B 超片子去公司，“不厌其烦”地向同事展示了。

向医生请教不懂的地方

老婆接受医学检查或是B超检查的时候，你要担当“首席审讯者”。记录B超检查员（操作B超仪器的人员）的所有意见和观察结果。检测结束后，有任何不明白的地方一定要及时请教。如果B超检查员发现一些不确定的情况，或者无法回答你和老婆的疑问，你应该去询问产科医生，因为他们是医院里的产科专家。

安慰老婆

每次老婆对检测结果感到担忧的时候，你一定要表现得镇定并保持理性。你感到担忧也是自然的事情，而且你们两人把各种的担忧和疑问憋在心里也不是好事。但是，表达你的担忧要选择合适的时机。

准爸爸答疑

老婆在担心什么？

在这个阶段，她的心中充满了各种担忧，比如：“我的肚子怎么这么小？”你需要提醒她：进行完更多细节性的扫描测试（在20周左右）才能确定胎儿的发育状况。如果怀头胎的准妈妈腹肌比较紧实的话，她的腹部隆起也不如别人明显。告诉她这点，她会感到欣慰的，因为这可能是接下来几年里你唯一一回表扬她的身材……

2. 孕期都有哪些重要检查？

孕妇需要接受的测试和检查估计比一架宇宙飞船需要的还多。下面介绍一些关键检查项目和检查内容，以及你是否需要陪同前往。别担心，陪同不会耽误你太多的工作时间。许多准妈妈只需要接受几项测试，而且大部分测试只要几分钟就好，结果也往往令人满意。

怀孕确认

据梅尔文·登斯塔尔称，现代 B 超仪能够检测出受精 18 天内的妊娠囊（胚胎的初期）。你的老婆只要带着验孕自检结果去找医生即可，医生可能会安排 B 超。

绒毛膜绒毛取样（CVS）

此测试是为了检测胎儿是否有染色体异常或基因遗传病，如囊胞性纤维症或肌肉萎缩症。这跟羊膜穿刺检测有些相似，都是进行羊水采样。这个测试一般在 9 ~ 11 周进行。但是医生觉得有必要时，才会做这个检测。

12 周扫描

颈部透明带扫描（由专业医师来操作），这是夫妻第一次真正看到胎儿。可以跟孩子开始建立感情了……还可以跟老婆争论孩子长得更像谁。

甲胎蛋白测定

这是一项常规血液检查，用于检查胎儿是否有脊柱裂的风险（罕见的脊髓致残缺陷）。

羊膜穿刺检查

如果孕妇的血检结果、年龄或者既往病史显示，婴儿有罹患唐氏综合症或是脊柱裂风险的话，在14周时，孕妇应该接受羊膜穿刺检查。这项检查不是强制性的，而且有些被建议接受检查的孕妇也能拒绝接受检查，因为这个检查有1%导致流产的风险。羊水采样，然后送检，结果不会立刻出来。

20周扫描

通过这次B超，你可以获知胎儿的性别（我们将在第五章讨论获知胎儿性别的利弊）。如果你想知道胎儿的性别，就询问医生。一般说来，如果你希望知道胎儿的性别，医护人员才会告诉你。你可以自己猜，但是B超检查员的动作很快，而且胎儿的个头太小，所以你不容易看出它的性别。兔唇一类的生理畸形可以通过这次B超检查出来。

尿样和血样检查

孕妇的尿样能检查出很多医学症状。尿液中糖分过多可能是孕期糖尿病的征兆。这种病往往是暂时的，可以通过饮食调整进行控制，有时还需要注射胰岛素。检查还能发现孕妇是否有罹患孕期高血压的风险。血检可以查出孕妇的血型，没什么惊奇的。血检的主要目的是检查母亲和胎儿之间是否会发生溶血现象。大约 15% 的孕妇血型为猕（Rh）阴性。如果胎儿血型同时为猕（Rh）阳性，母体会把胎儿视作感染物。为了避免这种情况发生，孕妇需要注射抗 Rh（抗 D）免疫球蛋白。

对于所有这些检查，都存在一个疑问：准爸爸有必要陪同吗？一般来说，所有这些检查，孕妇都只能自己去，但是有了准爸爸的陪同，准妈妈不但心理感觉很好，而且在拿到各种检查结果的时候，身边有人陪伴就再好不过了。

准爸爸答疑

什么是子痫前期？

子痫前期是一种只有孕妇才会罹患的疾病，在英国有70，000人之多患有此病。这种疾病常常会造成胎盘功能异常，对胎儿供氧和供血有影响，进而阻碍胎儿发育。一般子痫前期能在孕期检查时通过尿检和血检查出，并通过服用药物降低孕妇血压。其他一些症状还包括头痛、眼花或目眩以及胃痛。想要及时发现子痫前期，去医院接受医生和产科医生的检查非常关键。

孕检、准爸爸和相关法规

准爸爸参与老婆接受 B 超检查往往是个非常让人感动，并且能够建立亲子关系的时刻。健康专家、产科医生、新爸爸和准爸爸都会告诉你一定要参加老婆所有的 B 超检查。如果你不知道相关请假规定的话，去人力资源部门了解一下情况。由于孕检往往是在正常上班时间，有些公司甚至会安排你带薪休假。

如果你的工作单位没有类似政策，可以跟老板或部门经理讨论弹性工作时间的问题。记得在离岗时间中算上交通时间以及老婆做检测时的排队等待时间。

万一你没法参加重要的 B 超检查或者是你只想知道 B 超检查的相关内容，下一节是关于 B 超检查的内容。

3. B 超检查是怎么进行的?

这可能是你和老婆第一次一起去医院（除非几年前你们一起看过性医学门诊，不过我们暂时不讨论这个话题），所以第一次进行 B 超检查也是一个非常有趣的经历。正好你也能练习一下在未来数月包括孩子出生后，如何与医护人员打交道。

一般来说，B 超检查过程很短，你和老婆跟产科医生之间的相处往往也相当融洽。产科病房里送给医护人员的鲜花、巧克力和感谢卡都能说明这一点。但是如果你和老婆有任何疑问，一定要敢于向医护人员提出。

作为准爸爸，你需要陪着老婆进行 B 超检查：安慰她、向医护人员提问，更重要的是，要不断点头说“太神奇了”。如果 B 超检查员让你看屏幕上胎儿的图像，你一定要显得真能看到。如果这是你老婆的 12 周 B 超检查，那么你们是无法看出胎儿的性别的——胎儿的性别最早也得到 16 周时才能辨认出来。除了做以上的事情，坐在一边，静静欣赏吧。你的老婆此时：

- 躺在检测床上，一位 B 超检查员（一般是女性）在她露出的腹部涂上一层透明的 B 超耦合剂。
- 会感到些许刺痛，此时 B 超检查员拿着一个连着导线像麦克风一样的探头，在她腹部那层耦合剂上滑动。
- 迷茫地盯着身旁的 B 超屏幕，听 B 超检查员讲解这个仪器如何成像——像潜水艇的声纳那样通过声波反弹成像。
- 表情有些紧张，轻轻攥着你的手，此时 B 超检查员发现了胎儿的位置，正在轻点鼠标，测量胎儿头部和四肢的大小。

- 终于略显放松，因为检测结束了。之后却又生起气来，因为医院只提供几张粗糙的卫生纸来擦拭那层粘糊糊的耦合剂。

整个过程也就20分钟左右。不要因为B超检查员在检测过程中的任何反应和声响而感到担忧——她可能看不清图像；也可能在考虑中午饭吃什么。要知道，此时的胎儿仅仅和你的中指一般大小。所以，有任何关于B超的疑问，要向医生、护士咨询。

准爸爸经验之谈

第一次B超检查

第一次看到自己创造的小生命动弹，会特别有成就感，也会特别激动——足以让任何一个硬汉为之动容。所以，你一般也不会在酒吧跟哥们分享这样的经历。幸运的是有几个准爸爸愿意同我们分享他们的经历：

"第一次B超检查让我特别激动。我原先以为只会在屏幕上看到模糊的一团，根本没法清晰辨认胎儿。事实上，我们清楚地看到了胎儿，尤其是他动弹的时候。这可能是一个我们开始习惯为人父母的重要时刻，因为此时我们真正意识到自己孩子的存在，而不仅仅是老婆怀孕那么简单。知道胎儿一切安好，我感到十分欣慰。"

——查理

"第一次B超检查真的是太神奇了，我开始都不知道要看什么，以为只会在屏幕上看到一片模糊的影像，胎儿的头脚估计都分不清。

可是我们竟然看到了胎儿的小脸。我坐在那里，握着梅尔的手，脸上带着傻傻的笑，眼睛一眨不眨，两行眼泪顺着我的面颊流下。那种感觉太奇妙了。”

——马修

“第一次进行B超检查的时候，我其实只能在屏幕上看到模糊的一团。但是我确实能看到胎儿的心跳，太神奇了。不过胎儿看起来更像在蹬着独轮车。”

——多米尼克

B 超检查的片子能留一张给我吗？

当然可以。一些医院会提供一张 B 超片子。当然，如果你想多要几张的话，就得再花些钱了。这些片子是十分美好的纪念品，你会在跟别人传达好消息时，忍不住拿出来硬塞给他们看。不过你绝对不能给这些片子进行塑封。这些片子是在热敏纸张上成像的，塑封过程的高温会毁掉上面的图像。你想复制的话，复印和扫描都是可以的。

我们需要做 4D 扫描吗？

常规 B 超检查的片子是 2D 的。如今，一些私人工作室为喜欢胎儿动态影像的准父母提供 4D 扫描业务——这是一项相对较新的技术。尽管这种为孩子做的“第一个视频”十分美妙，但是却不能代替常规产前 B 超检查，而且 4D 扫描业务价格不菲，远远超出医院的收费，有些地方的收费甚至高达 199 英镑。

4. 准爸爸需要做检查吗?

你不会期待着做检查吧？不过不是只有准妈妈需要做产前检查，有可能你也需要做些一些穿刺、注射和检查。如果你认为下面的内容与你有关，请跟你的医生商量一下：

血型检测

如果老婆的血型是猕（Rh）阴性，而你是猕（Rh）阳性，那么你们的孩子可能会是猕（Rh）阳性。母体的免疫系统会把异种血型的胎儿看做外来异物，对胎儿发起攻击，威胁胎儿生命。

镰状细胞性贫血

如果你和老婆的家族病史中都有镰状细胞性贫血，那么你应该去做血检。这种疾病能够遗传给新生儿，非洲、加勒比海地区、地中海东部地区、中东地区和亚洲的家庭往往会受此病影响。在英国，镰状细胞性贫血往往出现在非洲和加勒比海后裔中（至少有 1/10 ~ 1/40 携带镰状细胞性贫血特质，1/60 ~ 1/200 患有镰状细胞性贫血）。

地中海贫血

一种能够造成贫血的遗传性血液异常。塞浦路斯、意大利、希腊、印度、巴基斯坦、孟加拉国和中国的后裔患病几率较高。这是因为引起地中海贫血的基因变异最先开始于流行疟疾的国家。

黑蒙性家族性痴呆症（TSD）

一般来说这种基因缺陷十分罕见，但是德系犹太人（东欧和中欧）后裔常有携带。TSD 是致命疾病，但是只有夫妻双方都有这个基因缺陷才会引起胎儿患病。

准爸爸答疑

坐飞机出行

一些医学专家建议孕妇在第一个孕期（怀孕头 12 周）避免乘飞机出行。英国国家医疗服务系统手册称，在第一个孕期搭乘飞机会有很高的流产风险。如果有其他任何关于出行的问题，请咨询你的医生和产科医生。

5. 老婆怀上多胞胎怎么办?

双胞胎、三胞胎、四胞胎、五胞胎……好吧，你明白我在说什么。怀多胞胎唯一不好的地方是你未来要买更多的尿布和其他婴儿产品。如果怀着不止一个孩子，你的老婆也需要重新考虑生育计划。往后的孕期常规检查（包括每两周一次的检查）会用于检测是否出现双胎输血综合症。如果一个胎儿霸占胎盘，影响另一个胎儿发育的话，就可能会出现这种疾病。在英国，每年有超过 9000 例多胞胎降生，而且这一数字还在升高，这主要是因为一些低生育率地区在早产儿护理方面的进步。

孕期性事与准爸胎教：大肚子不再是负担

孕期：17~20 周

现在胎儿的发育速度越来越快了。小家伙的身体发育速度终于赶上了脑袋，现在看起来成比例多了。这个阶段，胎儿身长大概 165 毫米。面部特征越来越显著，头发也开始生长了，每个人独有的指纹也开始出现了。胎儿的眼睛开始对光敏感（如果几年后，宝宝早上 5 点钟拿着手电筒冲你眼睛晃时，你的感觉也会一样敏感）。胎儿的生殖器官也开始发育成型（啊！是男孩儿！啊！是女孩儿！）。到了 20 周的时候，胎儿皮肤开始变厚——变成 4 层——外面覆盖着一层蜡质，叫做胎儿皮脂。胎儿皮脂对胎儿的皮肤起到保湿作用，同时防止皮肤变皱。胎儿此时的皮肤就像你的皮肤在浴缸里浸泡时间过长时的样子。这就是为什么宝宝降生时看起来有些像一大块奶酪。不过没关系，胎儿皮脂很容易被擦掉。

好吧，下面该讲性的话题了。

1. 我们还能过性生活吗?

99.9%的准爸爸会问这个问题。除非你的医生或护士说不行，否则基本上整个妊娠期你们都可以享受性生活——当然是同对方一起。注意，是“基本上”，这个词表示总是有一定限制的。老婆快要生产的时候进行性生活确实能有促进作用，因为精液中的激素能够促进胎儿滑出产道。不过别在医院病房过性生活。还有，要做好心理准备，因为你的性生活可能随时被打断。

一些孕妇性欲会比较旺盛。接受问卷调查的17，000名女性中，36%的女性说自己在怀孕期间性高潮会更加强烈。

许多准妈妈会在性欲旺盛和性冷淡之间交替变换。这种转变往往很突然。原因有很多：孕妇体内激素水平发生变化，感觉自己更加性感（主要是觉得自己身材更加丰满）。这些都可能让孕妇性欲高涨，但是她有可能会突然因为担心肚子里的小生命而变得性欲全无。

然而，性欲的忽高忽低不仅仅会出现在准妈妈身上。据称一些准爸爸对老婆的性趣会变得更加浓厚。不仅仅是因为老婆的体型发生变化——如胸部变丰满，当然丰满的胸部应该是最惹眼的。也不仅仅是因为如今孕妇装越来越性感。其实，一些准爸爸称，因为两个人的情感更加深厚，所以才会感觉欲望更强烈。由于老婆越发脆弱，许多准爸爸因此变得更加体贴，还会帮老婆按摩肚子和背部，从而增进了两人的亲密感。

简而言之，怀孕后，夫妻之间更加“春心荡漾”。

据“性与感情”专家，同时也是《孕期的性高潮》的作者伊诺·富布莱特博士称，夫妻两人性趣盎然往往是从孕期第12周开始的。“不管是在第一个孕期还是第二个孕期，许多孕妇感到比怀孕前有更强烈的性冲动，尤其是在第二个孕期的时候，欲望最为强烈。”尽管如此，你和老婆一定还是会对孕期性生活感到有些担心。

性生活不会伤害到胎儿吗?

怕伤到胎儿是夫妻这段时期“性致阑珊”的头号原因。但是除非医生明确禁止，在整个妊娠期间，你和老婆还是能安全地享受性生活的，梅尔文·登斯塔尔如是说。但是，在过性生活时，还是要注意：

- 尤其是她肚子越来越大的时候，性生活有可能不是非常方便，所以你需要对性爱的体位有些想象力。
- 你需要有幽默感，因为“孕期性爱”时，经常会出现奇怪的声响、尝试失败、肌肉紧绷甚至痉挛。有时候以前感到非常舒适的体位，现在也发现难以获得乐趣。
- 你不会干扰到胎儿。它在羊膜里受到良好的保护，不会因为你的动作而受伤。
- 你的老婆可能会发现乳房酸胀并且非常敏感，所以如果你被命令“只能看，不能碰”的话，不要感到奇怪。
- 性爱过程中应该尽量避免使用情趣用品。因为塑料制品同血肉之躯相比还是过于僵硬，有时候会伤害到胎盘。

准爸爸答疑

她在担心什么——丈夫出轨

老婆怀孕时，有些准爸爸不敢同老婆过性生活，或是对老婆没有欲望。事实上，由于准爸爸不能在家过性生活，10% 会因此出轨，从他人那里寻求性满足。据一位名叫玛丽阿姆·米拉的情感心理理疗师称，这是一个考验夫妻情感的时候。毕竟，在你跟老婆试图受孕的时候，你们的性生活往往很规律、积极，有时还非常刺激。米拉说，由于老婆怀孕而突然改变性生活规律，让许多男人感到难以接受。

美国的一项调查显示，10% 的准爸爸会因为老婆怀孕而出轨。对一些男性来说，他们突然觉得老婆（怀孕时）不再是一个合适的性伴侣。米拉认为，这些男性往往认为老婆怀孕意味着自己不再是“场上队员”了。他们只有在孩子出生后，看到孩子的小脸，才会有负罪感，而最终改邪归正。然而，大多数的出轨情况是因为性生活的缘故——他们得不到足够的性生活。有调查显示，10% 的孕妇从得知自己怀孕起就再也不与丈夫过性生活，其中一些人会一直保持这种状态到生完孩子 3 个月以后。

如果整整一年都求欢不成，大多数男性会感到非常难受。

不过，尽管你有很多理由出轨，但是老婆正在家坐着为小宝宝织袜子，或者是难过地孕吐，所以，你一定要三思。

米拉指出，出轨会让你们的感情产生巨大的裂痕，而且也会让你质疑自己作为一个丈夫和一个父亲所作出的承诺。如果她发现自己怀着你的孩子，而你在外面寻欢作乐的话，可能会对你们的关系产生灾难性的后果。至少对于今后的家庭生活，这不是一个好的开始。

为了避免走上这条不归路，你至少应该同老婆谈谈你的感受。看看她是不是只打算在怀孕的头几个月暂停性生活。

还要记得，老婆可能现在对自己的体型感到十分难为情，即使你“早就看过了”，她也不愿让任何人看到自己的身体。你要有技巧，不要像下达最后通牒似的，更别指着自己下体说：“你不要，我可就送人了。”

你也应该跟医生交流一下。夫妻往往由于对人体知识的缺乏，产生对孕期性生活的恐惧。记住，小宝宝在子宫中可以受到良好的保护，性生活不会对它造成威胁。当然，还要注意听从医嘱。如果孕妇原来有过流产经历，那么医生可能会建议孕妇避免性生活，尤其是在第一个孕期，以避免再次流产。

2. 哪些体位最适合“孕期性爱”？

如果你和老婆想着孕期尽可能多地享受鱼水之欢的话，你们需要随机应变。这个阶段，性爱还是可以相当刺激的，但是你们不需要专门计划。因为一些孕妇发现某些体位更舒服，而这些体位随着怀孕时间的推移，还会发生变化。据一些产科医生称，这个阶段的性爱没有一定的规则，但是要避免动作过于粗野。

有时候性生活会造成阴道出血，这是常见现象。一般来说没什么可担心的，但是最好让老婆同产科病房联系，做些检查。如果说，上述这些冗长的废话让你没法幻想，下面给你一些比较常用的，或者说是可以尝试的——“孕期性爱”体位：

勺子式

不用去理会这个愚蠢的叫法，在这个体位中，你面对老婆的背，贴卧在她身旁；这对你俩都比较舒适，因为你不会挤压到她的腹部，而且你能在她背后调整自己的角度，利于插入。

侧入式

你们两人面对面侧卧，四腿交叠。这样你也不会压到她的腹部，然后就可以享受安全和舒适的性爱了。

女上位

这样你就能看到她的全貌了，她也可以掌握你插入的深度。她可以两手扶着你的胸部，以支撑自己的身体。随着她体重增大，你可以坐在椅子上，让老婆采取女上位会更方便，因为她可以两脚着地，承担一些自身的体重。

背入式

这个体位尤其适用于老婆肚子过大，基本无法采取其他想得出来的体位的时候（其实并非想不出来）。你站在床边，而她四肢撑着身体，趴在床上，并在她肚子下面放一个枕头会更舒服。

准爸爸答疑

她在担心什么——“感觉自己好丑”

由于怀孕期间激素水平不稳定，孕妇脸上的色斑会增多，肤色会发生变化：痣、雀斑、乳头颜色变深，还会伴有牙龈出血。所以，她会讨厌自己的外貌变化，而且有时会很悲观，从而使得她的自尊心更加受挫。很有可能你也会因此对孕妇性趣缺缺。但是你要告诉她（同时也是安慰自己），这些变化都是暂时的。你要更多地向她表达爱意，并且夸她漂亮，告诉她一切都会好起来的。准爸爸安慰老婆常用的词汇一般有：你像一朵“盛开的鲜花”；你怀孕的时候还是“光彩照人”。但是她还是会感觉很糟糕，并且会埋怨你“干的好事儿”。你现在千万不要用类似“好恶心”之类的词汇。

准爸爸答疑

口交有害健康吗?

如果是在公司派对发生这样的情况，那很可能会有害健康。要是你们夫妻之间的话，没有什么不健康的。你给老婆口交当然不是什么危险的事情。帕特里克·欧布莱恩教授跟我说，孕期性爱唯一需要担心的问题只跟性病有关。他说，性病能导致婴儿早产以及发生感染。如果在老婆怀孕期间，你认为你从外面带回家的除了兜里的钞票还有其他东西，请联系附近的性病诊所。

3. 宝宝出生多久我们就可以恢复性福生活了？

如果你是根据老婆怀孕的时间进度阅读本书的话，现在讨论这个话题还有些早。不过既然我们已经讨论到这个话题，那还是说明一下吧。新妈妈的生理和心理都需要恢复。想想看，如果你刚刚把一颗篮球从你阴茎的顶端挤出来，你愿意立刻做爱吗？所以，此时的性爱必须舒缓、温柔，而且必须等老婆准备好了才可以。

如果老婆在分娩时进行了外阴切开术（侧切）——分娩时切开会阴部，以帮助生产——那么老婆阴道内部需要缝针，伤口需要数周才能愈合。所以，要跟老婆好好沟通，而且你们两人应该都比较劳累，她更有可能会在生产过后感到浑身酸痛。如果你们确实完全适合过性生活了的话，可以使用水基型润滑剂，比如“KY 润滑剂”，这样能够使性爱更加温柔、舒适。

其实，你也未必马上就想过性生活。经历整个分娩过程和心理上的不适应，可能会让许多男性处于“性惊吓”状态。看到老婆身体展现功能的一面，如给孩子哺乳；或者参与老婆分娩全过程，看着她因痛苦而尖叫的场面；看着自己的孩子呱呱坠地，一些男性会因此不是特别适应，可能不会特别想很快重新开始性生活。

如果你们双方都准备好了，记得要选择好避孕方式。女性只要一开始排卵，就可以立即受孕（基本上是生育后一个月之内）。拉塞尔·赫恩说，请想清楚，“是否想要很快再次受孕，因为你可好不容易不用夜里两点跑到超市为她买糖吃。”

平稳期的准备工作　孕期：21~24 周

到 20 周的时候，你的宝宝已经开始不断睡觉、做梦和醒来。老婆腹部的隆起也变得十分明显——肚子也会发福——老婆体内的胎儿已经开始活动，并且胎儿能够听到外界的声音。此时，胎儿体重大约 680 克。老婆甚至可能出现假宫缩，这种收缩产生的“刺痛感”是为子宫的分娩过程做准备。

1. 准爸爸如何做胎教?

这是可以做到的，只不过你得做些看似很荒诞的事情，才能跟宝宝“建立感情”（你的举动好像自己喝醉了一样）。如今，准爸爸跟宝宝“建立感情”是件大事。孕婴杂志会向你的老婆强调这一点，老婆也会催促你做一些十分奇怪的事情，以便你和胎儿能够建立深厚的感情。

最近流行的育儿袋，能够让新爸爸们骄傲地把宝宝“穿在身上”。但是在你把宝宝带出门好几个月之前，你就应开始同未出生的宝宝建立感情了。

当然，不是每个准爸爸都喜欢这样。有些准爸爸觉得这样不自然，而更多的准爸爸完全不知道该怎么做。如果你正努力想要同胎儿交流的话，这里有一些常用的方法，如按摩老婆的腹部和播放胎教音乐。

我该如何按摩老婆的腹部?

按摩老婆的腹部是准爸爸和胎儿之间建立感情的一个可靠方法，好处也很多。

首先，讲讲对你的好处。自从老婆怀孕以来，你就不能痛快地享受与老婆的性爱了，所以这是一个能够抚摸老婆身体的难得的机会。按摩老婆的腹部，就成了你同她亲热的好办法。从心理学角度讲，你还能因此抛开很多对胎儿的负面想法。你会慢慢喜欢上老婆的腹部（也就是你的孩子），并且意识到孩子不再是你和老婆之间的障碍。有趣的是，这种说法并没有任何科学数据佐证。

然后，通过感受胎儿乱蹬乱动，能够让你有一种要当爸爸的真实感。据产前按摩理疗师（是的，确实有这样的职业）称，你的抚摸能够产生一系列连锁反应，使胎儿体内产生一些消除压力的激素，从而使得宝宝在出生之前就喜欢上你。

通过按摩老婆的腹部能够让她的肌肉放松，并在体内产生一些令人“愉悦”的化学物质，而且胎儿也能因此受益。

接着，为老婆的腹部涂按摩油——是为了按摩，可不是保养——能够让你感到放松，尤其在你看了介绍育儿成本的那章之后。

当然，孕期之内没有什么事情是绝对的。也许你不能做这个开心、愉悦的“苦差事”，因为老婆在自己的腹部设置了“禁区”。尤其是一些准妈妈，她们腹部出现像麦田圈一样的东西——从会阴部到肚脐的一条神秘黑线，因此她们更不愿意让丈夫看到自己的肚子。

为什么我非得对着老婆的腹部说话？

如果你觉得按摩老婆的腹部已经很奇怪了，那么对着那里说话就更让人崩溃了。其实，在第16周时，胎儿的耳朵已经开始工作。因为耳朵是胎儿最早发育完成的器官之一，所以胎儿的听觉出现得也很早。据研究显示，从第24周开始，胎儿就在一直听着外界的动静。所以别抱怨了，开始为宝宝放音乐吧。

准爸爸经验之谈

同宝宝“建立感情”

“老婆丽萨怀着我们第一个宝宝茱莉亚的时候，我就常常放北方灵魂（Northern Soul）的专辑。等茱莉亚出生后，每次我在她的房间放这个专辑，她都会安静下来。”

——理查德

“听到宝宝在老婆肚子里动弹的声音，我确确实实感到了宝宝的存在。”

——多米尼克

“老婆海伦怀孕最后的三个月里，我每晚都会对着她的肚子读《神奇的旋转木马》系列书籍。为了让儿子爱迪出生后有个好的起点，我们积极尝试各种方式。在老婆怀孕的最后一个产期念狄伦和西庇太的故事能让他出生后更加聪明，或者能让他对我的声音更敏感，这我不敢说——但是我至今还是很享受给他讲故事。”

——马特

研究称，你跟胎儿说话越多——对，是说话——或者对他唱歌越多，你的宝宝能听到的就越多。登斯塔尔说，仅仅是为胎儿高声朗读报纸上的体育报道，就能帮助胎儿辨认父母的声音。而且你还有可能无心中培养了一个狂热的球迷；当然，也有可能，让孩子很早就知道你喜欢的球队踢得很烂。

你知道吗？

声音识别

实验表明，新生儿对熟悉的声音做出的反应更多，80%的情况中，他们会向自己“认得”的声音回头，而不理睬“不认得”的声音。

2. 陪老婆一起怀孕？

尽管对老婆的怀孕你可能非常想要参与其中，但是准爸爸往往还是会感觉到自己被排除在外。如果你对按摩老婆腹部或者对着腹部讲话没有什么热情的话，你可以跟老婆一起做些其他的事情，以便帮助你和胎儿建立感情。

陪老婆 B 超扫描

“在 B 超屏幕上看到女儿的那一刻，我感觉我们已经开始建立感情了。我能够看到她的小手，听到她的心跳。尽管图像很模糊，但是这却是我见过最美丽的画面。”准爸爸约翰说。你应该保留一些 B 超的图像，放到你的钱包里或者作为电脑桌面壁纸，并把它作为你的一个谈论话题。

做一项家庭功课

如果 B 超的图像没有让你泪流满面，你也许可以做些其他更具体的事情来帮助你和孩子建立感情。“我的老婆给我买了一个专门留给宝宝的剪贴本，”查理说，“在老婆怀孕期间，我负责往本子上粘贴 B 超检查的片子、有象征意义的物件，并记录老婆怀孕时的数据和感受。”

成为一个专家

阅读关于生育、父亲角色以及准妈妈孕期生理和心理的书籍。本书算是一本，但是你还需要阅读老婆要看的一些报刊杂志。阅读孕婴杂志非常有用（别只看内衣那几页），它能够让你对整件事更加专注。还要记得上网逛逛。

给自己做小测验

我在老婆怀孕期间同她做过一个游戏，叫孕期小测验，它能让我更加习惯老婆怀孕这件事。游戏规则是，我先浏览她的杂志，然后她考我！

你会因此熟悉孕婴方面的术语，并且能够对老婆怀孕这件事认识更深，更有掌控感。尽管我没有因为答对问题而获得任何奖励，但是我更加了解相关知识。后来我对我们育儿计划的了解程度，甚至超过了我对英国足球队的了解。

3. 准爸爸们可以开始准备了?

一旦老婆度过第一个孕期，也就是最容易出现流产的孕期，她就进入第二个孕期了。此时，准爸爸就可以开始摸爬滚打，包揽孕期的粗活累活了。你现在要身兼二职，既是狩猎者又是采集者。

你现在需要安排婴儿房；打理家庭预算以应对老婆收入减少；如果有必要，还得搬家；还有至少要更换一辆汽车。你们现在应该注意浏览一些必要的婴儿用品——比如婴儿床和婴儿车——还要学会怎样规避一些营销陷阱，这些陷阱专骗准爸准妈兜里的钱。

虽然看起来现在考虑这些事情似乎还为时过早，但其实现在是做这些事情的最好时机。原因如下：

首先，如果你需要搬家或者装饰婴儿房，老婆现在还能帮忙——她马上就没法帮忙了。

其次，这可以让你注意力集中。据心理学家拉塞尔·赫恩观察，随着老婆的肚子一天天隆起，怀孕带来的冲击也会影响到你，你也会产生焦虑感。通过这些“筑巢”活动，你会感到自己有用武之地，而且这也能让你为将来孩子出生有一定心理准备。

最后这个原因比较少见，但是却值得考虑。你的孩子早产也不是没有可能，孩子最早可能会在第 24 周就出生。如果你能越早准备，那么孩子降生的时候就越方便。

你知道吗？

体重和视觉

你的老婆可能会在孕期增重22～28磅(10～12公斤)。大肚皮——她在身边时可不要用这个词——一般是从第20周开始变得明显的。当然，新增的体重不全是胎儿的重量，如果胎儿有12公斤的话，得把人吓坏。她身体的“膨胀”是指整个身体的尺寸，这是由于孕妇体内多出2公斤重的体液（主要见于踝关节部位)；0.7公斤重的胎盘(胎儿在子宫里的“食堂”)；胸部增长的0.9公斤重量。

准爸爸答疑

第20周的B超检查

这次检测也叫排畸检测。本次检测能够查明胎儿的性别。通过对胎儿进行拍照，可以看清胎儿的头和四肢，还能获知有关胎儿健康的关键信息。本次检测中，连胎儿心脏的大小和形状以及心脏瓣膜的工作情况都要检查。B超检查员也能够看出胎儿的器官发育状况，如肾脏是否发育良好。他们还能查明为胎儿供给养分的胎盘所处的位置。如果B超检查员认为有些地方需要再次确认，他们会告诉你在未来几天之内请产科医生参与第二次B超检查。

准爸爸经验之谈

准爸爸经验之谈

“我们并没有想要知道孩子的性别。而且我们也没有多想孩子到底是什么性别，因为无论男孩还是女孩都很好。所以我们一直把谜底留到最后一刻再揭晓。如今的生活中，真正的惊喜真是太少了。”

——马修

“开始我觉得还是先别知道孩子的性别，但是我担心朋友们送来一堆蓝色或粉色的婴儿用品。知道孩子的性别后，事情确实简单了许多，尤其是给孩子起名字这事儿。给孩子起名字太难了。”

——汤姆

“萨拉不知道提前知道孩子的性别好不好，反正我觉得希望知道孩子的性别的想法很正常。因为你需要提前购买一些东西，所以知道孩子的性别很重要，这样你就知道该买什么，怎样布置婴儿房了。有人说这会使得孩子出生那天没有惊喜——我觉得无所谓。第一次捧起自己孩子是一个美妙的时刻，我可不在乎孩子的性别。而且，提前知道性别会比较方便，不论怎样，（个人认为）大多数夫妻开始总有些对性别的偏好。如果心里想着是女孩，可是生下来一个男孩，我不知道自己会不会有些后悔。提前知道性别的话，孩子出生那天你也就不必纠结了。”

——多米尼克

“我们当时得知宝宝是个男孩。提前知道孩子的性别能让我们把思维从对怀孕的关注转变为对孩子的关注。这对我们来说很重要，因为这次怀孕不在我们的计划中。我们没有偏好女孩或男孩，所以提前知道也没有什么影响。知道怀孕了本身就是一个天大的惊喜——提前得知孩子的性别并不会带来更多。”

——查理

4. 我们应该为了孩子搬家吗？

如果你觉得老婆孕期让你头痛的事情还不够多，搬家肯定能让你感到痛苦。为人父母绝对是人生中最“惨痛”的经历之一。搬家也是如此。怎么会有人愿意同时做这两件事情呢？

第一个孩子降生的时候，你们夫妻俩可能还住在刚结婚时的老房子里，这可能是你们同居时的小房子，或是刚攒钱买到的房子。那个时候，家里唯一需要的额外空间就是一张让醉酒朋友留宿的沙发。现在必须做出改变了。现在你需要专门为新成员准备一个独立的房间，因为宝宝会越长越大，并且会随着年龄的增大收集各种“闪闪发光的垃圾”——只有人类和喜鹊会这么做。

除非你确定现在房子的大小足以应对新生儿的到来，否则你最好搬家。但是不要因此惊慌失措。毕竟，婴儿最初 6 个月可能会跟你们在一个房间睡觉，而且 6 个月以后宝宝才会爬呢。即使是到了那个时候，你也可以把婴儿车折叠起来节省空间。但是如果你决定搬家的话，下面是一些爸爸们的经验：

在老婆孕期，搬家应该趁早

相比在老婆夜里辗转难眠的第 38 周时，她这会儿还能帮上些忙，她也相对容易应付搬家的事情，同时你此时的精力也相对充沛。你现在也不需要打包太多东西——相信你在这头几个月没有买太多孕婴用品吧？

如果你没有第一时间搬家也不要担心

“我们搬家的时候，海伦已经怀孕 5 个月了，”马特说——他是三个孩子的父亲，“其实这样也有好处，因为此时压力不容易影响到宝宝，而且她也不会因为压力而总是想上厕所”。

现在就开始打包

一旦确定要搬家，就先把不常用的东西装到箱子里，只留下日常用品。“等孩子出生了，你既没时间也懒得把所有打包的东西再重新拿出来，摆在新房里。所以如果有什么东西你几个月都用不着，先把它们打包”，马特说。

获得亲友的帮助

朋友或者搬家公司可以帮助你打包和拆包。如果你能负担得起搬家公司，打包业务还是很划算的。记得要“货比三家”，并且要求打折扣。一些搬家公司为了揽到生意，会免费提供打包和拆包服务。

不要怕乱

“最后，我们用了一年才把新家最终收拾妥当”，马特说，“如果可以的话，每收拾好一个屋子后，停一停，等到感觉休息好了，再收拾下一个”。

同亲友们住在一起

搬家的过程中或者是收拾新房的时候，不要不好意思去亲戚家暂住。如果你一两个月都没有厨房用的话，至少要让老婆住在一个能做饭的地方。当然，这可能意味着你们不能总是呆在一起。

考虑好安全问题

这不是说你现在就得封上所有电插座，或者锁上放着漂白剂的壁橱。当然等你的宝宝能够在家里乱跑的时候，你还是得这么做。仔细想想你们要搬去的新家，楼里有很多楼梯吗？上下楼搬运婴儿车方便吗？老婆跟宝宝单独在一起的时候，她应付得过来吗？

为什么现在就得考虑孩子上学的事情？

信不信由你，尽管孩子还没出生，孩子以后去哪所学校的事情迟早得考虑。这是有理由的。如果附近有特别好的学校的话，比如考试成绩好、教育局评分高而且周围环境优美，你很可能会看到附近的年轻家长已经被这些优势所吸引。

2008 年，尽管当时的房价暴跌，民治公司的一项问卷调查显示 1/3 的父母承认已经准备在住房方面多花超过 50，000 英镑，以便孩子能够进入最好的公立学校。现在的世道就是这样。许多年轻家长急切想要把孩子送到“模范”学校，为此，他们或是直接搬家；或是每天驱车送孩子到几英里以外的学校；或是蹭亲戚家的房子。你在同一些家长交谈后会觉得，即使孩子没出生，现在就得赶紧去附近的学校给孩子报名（尽管有可能孩子的名字还没起好），排队了。

民治公司的问卷调查还显示，为了能住得离好学校更近一些，1/5 的家长宁可住得离工作单位更远；12% 的家长会为此选择搬离亲友。在问卷调查中，1/3 的家长称，是否在一个地方买房，很大一部分是由附近学校质量决定的。如果你正在考虑这些事情，这是正常现象。许多情况下，托儿所（宝宝一般在 3 岁左右入托）和幼儿园有关系。所以，为了能让宝宝上个好幼儿园，可以先把宝宝送到和这个幼儿园有关的托儿所，当然，这之间也不一定有必然性。

你住的地方是不是一个学校的生源地，很大程度上决定了你的孩子能不能上这所学校。

所以在搬家前，要向相关部门查询新房所在地的学校/托儿所的生源地范围。

5. 养个孩子得花多少钱？

每隔几个月，报纸上就会刊登一些耸人听闻的报道，宣称如今养孩子的花费何其昂贵。这些报道里的数据惊人，2009 年的一个报道称，把孩子养到 21 岁的成本是 194，000 英镑，或者是每年 9，000英镑。这些报道援引的数据往往是委托一些问卷调查公司统计得出的。这些问卷调查公司会提供某些金融服务，旨在降低育儿成本。请仔细看看这些报道，从一行行的数据中你不难看出这些惊人的费用从何而来：每学年带孩子去一次迪士尼乐园；请私人保姆每天 12 小时照看孩子；把电动自行车换成悍马。如果是这样，养孩子真的是天价。事实上，养孩子不会让你破产，但是你最好还是要量入为出。

老婆怀孕或者休产假期间，你的家庭收入很可能会减少，你需要有心理准备。而且，在孩子出生之前，你早就开始增加支出了。你可能因此不能再像以前那样购买奢侈品。

但是你和老婆还是能够享受多项经济支持的。你们可以享受到许多打折服务，从旅游度假到餐饮住宿；而且孩子出生的头几个月里，亲友们会送来很多礼物，还有可能会收到婴幼儿产品公司送的试用品。

所以下一次再看到报纸上诸如“育儿成本飙升”之类的标题，你完全可以学习 6 个月大的宝宝对待身边事物的方法：先抓到手里，再送进嘴里，嚼嚼……嗯，没有营养，没有味道，一口吐出来。

育儿成本在老婆的妊娠期和今后的至少 20 年里都会是你心头的

一块大石。你确实需要为宝宝购置不少东西。但是很多东西虽说目标群体是新生儿，可是非常不实用，买来之后要么很少用；要么闲置在一边、落满尘土；要么被宝宝糟蹋。

接下来的半年，你和老婆会一直争论：哪些东西应该买新的；哪些东西应该让别人送；哪些东西应该网购；哪些东西根本就不需要买。接下来的章节是一些基本要点供你们考虑。

6. 该在哪里买婴儿用品？

选择太多，让你无所适从了吧。如今，已经没有哪个孕婴品牌独霸市场了，各个商家都卯足了劲头盯着准爸准妈的钱包。

蒸蒸日上的网上销售业，肯定不会错过婴儿用品这个大市场。他们的货物也非常齐全，从环保纸尿布到 DIY 胎儿 B 超彩照都能通过网络搜到，而且省钱又省事（送货上门）。所以不要忘了去一些育儿网站找找物美价廉的产品。

7. 需要准备哪些婴儿用品?

你会觉得很多婴儿用品是被迫（主要是老婆逼迫你）买回来的，根本没必要。不过，还是有一些东西是必要的，如果没有的话，今后照顾宝宝会不太方便。你的预算和亲友们的慷慨从一定程度上决定了你会买哪些东西，但是如果你想以自己的选择为准的话，下面列出的是一些必备的婴儿用品。拿出计算器，倒上一杯酒，开始吧。

在参考下面的内容之前，心里要计划好准备花多少钱买婴儿用品。要记得货比三家，多去一些店铺，比如各大百货大厦的婴儿专区逛逛或是多浏览相关网站，这其实也是同宝宝建立感情的一部分。

婴儿提篮

婴儿提篮，在宝宝还不会爬的时候是相当实用的，尽管它会遇到两个强劲的竞争对手：老婆的胸部和你的怀抱。宝宝 6 个月之前，一般都是和你们在一个屋子睡觉的，所以如果空间不充裕的话，婴儿提篮是个理想的婴儿睡床。提篮下面有个可拆卸支架。虽然是可拆卸支架，但还是很安全的。

摇篮或摇床

一些家长选择更牢靠的摇篮或者摇床而非婴儿提篮（往往是因为看到上面写的“可拆卸”支架)。摇床比较容易让婴儿安睡，因为轻轻摇晃能够起到舒缓情绪的效果。当然不足之处就是不如婴儿提篮那样便携。老婆一个人在家的时候可以到处提着婴儿提篮，把宝宝带在身边。如果你想着把宝宝放到你们的床上睡，赶紧打消这个念头，不仅是出于安全考虑（宝宝需要合适的温度，且容易被大人压到。第十一章会详细说明），而且因为宝宝们的行为很有规律，会妨碍到你们的性生活（宝宝出生之前就已经很碍事儿了）。

婴儿床

如果你的预算比较吃紧的话，婴儿床是最好的选择。婴儿床能从宝宝出生用到宝宝 5 岁。等宝宝长大些，你可以把床边的栅栏取掉，然后把床上用品升级，比如把床罩和枕套由彼得兔系列换成少年骇客或者芭蕾小精灵系列。婴儿床也可以买二手的，但要记得清理干净；如果想要上新漆，以符合婴儿房色调的话，记得要用无毒油漆；一定要记得更换栅栏上丢失或者损坏的木条；注意查看婴儿床侧面和插销是否牢靠，然后添一床新褥子。

婴儿整理台

一些婴儿整理台其实和一块能搭在婴儿床上的平板没什么两样，有些整理台下面是大大的抽屉，上面是宽宽的平台。你可以把宝宝横在整理台上，给他/她换尿布、穿衣服或者涂润肤露。当然，你也可以把宝宝放在地板上做这些事情（这样其实也更安全，因为整理台往往离地 1 米左右，产科医生手册里可不推荐你一手扶着宝宝，一手在抽屉里找尿布）。但是，有了婴儿整理台，你就可以在齐腰的高度给宝宝穿衣服，不必因为经常窝在地上，而感到腰痛了。整理台下面的抽屉也能为婴儿房节省一些空间——不过别在整理台上放架子之类的东西，以免碰头。

床上用品

婴儿睡袋是个颇受欢迎而且安全的选择，你不必担心宝宝把它拽到脑袋上——如果是毯子的话就有可能。羽绒被和枕头在宝宝 1 岁之前不推荐使用，因为它们会限制宝宝的活动，并且会使宝宝感到太热。为了安全考虑，不要把柔软的玩具放到婴儿床上。

婴儿床铃

吊在婴儿床上方，会旋转并发出柔和声响的床铃能够催眠你的宝宝。色彩斑斓，伴着音乐的床铃能够让你的宝宝感到非常愉快——看着宝宝睁着眼睛，张着小嘴，看着上方，是不是让你想起了鱼缸里等待喂食的金鱼。

婴儿澡盆

婴儿爱极了盆浴，就像大人喜欢鸳鸯浴一样。你可以用一个大脸盆，或是塑料澡盆，再加上专门设计的防滑垫——等宝宝可以在澡盆里坐起来（大约 6 个月大）的时候，用于托住宝宝。或者，直接在水槽里或是淋浴下给宝宝洗澡，直到他们长大懂得害羞为止（参见第十一章中的“如何给宝宝洗澡”）。

婴儿服饰

宝宝一出生，就会不断地尿湿每件衣服。你需要至少有半打婴儿的衣服，以便在第 1 周进行换洗。裤装应该比上装更多。这些衣物一般都有区分男女，印着有趣的图案、卡通人物或是足球队员像，还都很便宜。所以亲友们往往会送你们一大堆这样的衣服。衣服最好纯棉质地的。

尿布

这是必需品。婴儿会产生大量的排泄物，用尿布是最好的解决办法。不过，你和老婆要决定使用一次性尿布（一般是纸尿裤）还是可换洗尿布。两个方案都会对环境造成影响，孰优孰劣，争论颇多，总之都要花钱。不过，可换洗尿布只需花一次钱。宝宝一天平均要换 10 次尿布（以后会慢慢减少），每次更换尿布，还得擦屁股；一次性尿布还需要扔掉。许多人会选择有香气的垃圾袋装用过的尿布，但是如果你愿意更环保一点儿的话，只要把尿布折起来，扔到垃圾箱就行。

所以，你还需要定期购买纸巾和垃圾袋。几项调查显示，直到孩子两岁半能够自理大小便以前，一次性尿布的平均费用需要 1200 英镑到 1500 英镑，而可换洗尿布 30 个月需要 350 英镑到 700 英镑（洗涤费用包括在内）。如果使用可换洗尿布的话，还得买一次性尿布衬里和干尿布储藏篮。当然，以上这些估算都是平均值，你的宝宝可能需要更多，或是更少。用哪种尿布不是一定的，可以视情况而定。使用过程中也可以改换种类，这样成本就会发生变化。不管怎样，有一件事是肯定的，你需要买尿布。

妈咪包和吸水布

也许你和老婆已经有很多手袋和包包了，但是它们往往功能平庸。那些特殊设计，包含各种内兜的“妈咪包”非常好用。而且市面上还有专给爸爸设计的时尚“爸爸袋”。“爸爸袋”就像是“新好爸爸”的荣誉勋章，让爸爸在婴儿车旁边忙前忙后。“爸爸袋”还能让男性看起来更有亲和力。用“妈咪包”也比把东西一股脑塞进一个塑料袋显得更有档次。你还能学会一个新词——“纱布巾”。这种布吸水性很强，可以在宝宝吃饭时用来擦嘴——它们很便宜，尽管稍微重了点儿，但是很实用，可以吸附宝宝的呕吐物。

奶瓶和消毒器

母爱虽然伟大，可是老婆还是有可能会在宝宝出生1~2月内放弃哺乳。有可能是因为感到乳头疼痛；也有可能仅仅是感到太疲惫了；有时候，是因为老婆的奶水不够充足，而宝宝又对母亲的乳头特别“钟爱”（跟你一个模子刻出来的）。幸运的是，配方奶粉是个不错的选择。宝宝们也很爱喝配方奶粉。你只要买一个蒸汽清洁器就能保证速溶奶粉像母乳一样卫生。你也可以把奶瓶放到微波炉里消毒，也可以直接买一个锅，烧一锅热水就行。

宝宝监控器

有些规格的监控器功能颇多：有的能检测体温；有的内置探头；许多还有对讲机功能，对讲机一头别在你的裤带上，而你在家中漫无目的地游荡，悔恨自己怎么就“趟了这潭浑水”。在网上交易平台，宝宝监控器卖家很多，因为这玩意儿往往在宝宝出生几周内就如同鸡肋了。许多家长总是得密切关注它发出的信号——害怕宝宝不小心憋气。

另一些家长觉得宝宝监控器只能听到老婆窃窃自语，打嗝放屁或是在背后说他们坏话。还有些家长发现，如果他们去旅店过夜，宝宝监控器就没有任何用处——只要旅店房间墙壁够薄，婴儿床栅栏够结实就行。

跟别的爸爸“乞讨”、借用或者直接拿走

一旦你告诉别人你要当爸爸了，一定记得充分利用身边爸爸们的资源，看看他们有没有下面的这些物品。随着宝宝长大，能够自己乱爬乱动，这些东西你都用得着。只要是当过爸爸的人都会有这些东西，等他们的孩子长大成

人，这些东西往往会被搁在阁楼或者抽屉深处，落满灰尘。尽管你买新的也花不了多少钱，但是这些二手货还富有一定的象征意义——亲子关系的见证。你的老兄可能没有什么好的育儿建议，但是他有以下这些东西：

- 电插座保护帽——把这些塑料保护帽插到电插座上，可以防止蹒跚学步的婴儿把手指头接入“国家电网”。
- 壁橱锁——旋钮式扣锁能够把水槽下的储藏柜锁得严严实实。除了手巧的成年人，一般人可打不开。
- 马桶盖锁——类似壁橱锁式的扣锁，防止宝宝把你的手机、钱包或者猫咪丢进下水道。
- 桌角保护器——塑料保护器，减轻宝宝跟各种桌角的碰撞——咖啡桌、实木椅、电视柜、壁橱角等等。家里的桌角实在不在少数。

8. 如何选购婴儿车？

婴儿车就像小轿车一样，适合不同人的经济条件、品位、生活方式还有攀比的欲望。宝宝刚出生的时候，你推着婴儿车外出遛弯，宝宝只会躺在里面睡觉——但是6个月左右，宝宝就能坐得笔直，就像舞蹈选秀节目的裁判一般，手握婴儿车的两侧扶手，睁着大眼睛，兴奋地打量着身边的一切事物。选择婴儿车的时候要记得考虑这一点。一些家长会倾向于传统婴儿车，但是宝宝再长大些，还得再买一辆其他种类的婴儿车——如折叠式婴儿车。由于宝宝到时候必须平躺在车里，所以家长可以考虑购买传统婴儿车或“适合新生儿”的车子。一般来说，你会根据价格和个人情况来选择婴儿车，但是你还需要考虑一些常被人忽略的因素，以免买回一个中看不中用的玩意儿。

宝宝出生前就要买好婴儿车

如果你想用私家车把新生儿从医院接回家的话，你最好在宝宝出生前就买好婴儿车或是“旅行组合”，它们往往带有适合安装于多种汽车的儿童安全座椅。“旅行组合”加上带有可拆卸底座（也可以充当宝宝车座）的婴儿车，特别方便，尤其是家里空间比较狭小的时候，因为可拆卸底座可以在家里充当宝宝的便携式婴儿床，而且比婴儿提篮占用空间更少。

婴儿车能让你腰酸背痛

适合老婆使用的婴儿车未必就适合你。你们在商场购买婴儿车之前，两人都应该试着推推——最好婴儿车能够调节到不同高度，以分别适合你们两人的身高。准爸爸们还要注意你的脚步和婴儿车后轮中轴之间的距离是否足够远。这个距离应该适合你的正常步幅。我是认真的！这似乎显得爸爸们有些太娇气了，但是根据“BackCare”（一个倡导背部健康慈善组织）2009 年的调查显示，不良的推车姿势不仅让人抱怨，而且使得大约 73% 的年轻家长感到腰酸背痛！采取舒适的姿势推车并且在购车之前就学会如何安全快捷地调整婴儿车高度能解决这些问题。

婴儿车有“毛病”

“这辆车有毛病”——气急败坏的家长和手足无措的商场展示员想要把婴儿车折叠起来的时候，你经常会听到他们这样说。最后往往是这样的场景：两个家长、一个展示员拖着不听话的婴儿车，让人想起一群鬣狗正在试图制服一只大水牛。但是，不是每次拆卸婴儿车的时候，旁边都有帮手，而且许多情况下，你还得一手抱着孩子。所以，在商场购买时，就要记得多练几次婴儿车的组装、拆卸和折叠，回家后还要再练。如果还是不得法，那就停下来仔细阅读几遍说明书。

不是所有婴儿车都能放进汽车后备箱

有些商场可能会让你先把婴儿车带到停车场，折起来，试试能不能放进后备箱。不过这样的商场只存在于你的白日梦里。所以，要提前量好后备箱的长、宽、高，然后记得测量婴儿车的尺寸。

婴儿车也分“城市型”和“越野型”

虽然婴儿车本身没有区分“城市型”和“越野型”，但是还是要根据自己的居住环境选择婴儿车。有些婴儿车看起来十分坚固，像个小坦克似的，架子下面还有筐子，轮子堪比拖拉机的轮子。对于喜欢带宝宝外出遛弯的家长比较适用，但是想要搬上公交车就没那么容易了。而有些婴儿车看起来跟羽毛一样轻，十分小巧，像常用的伞车，对于居住在城市，需要上下楼搬运的家长非常理想——但是这让一些很注意形象的爸爸觉得自己像街头推着小车卖酒的小商贩一样。

准爸爸经验之谈

购买婴儿车

“我们买了一辆荷兰品牌‘博格布（Bugaboo）’，是通过‘母宝’公司订购的——在网上订购可以享受10%的优惠，不过每年好像都会有变化，你可以上网友的博客获得相关信息。我希望婴儿车能多用几年，这款可以把里面的布料都卸下来用洗衣机洗，等不用了还容易转手。”

——多米尼克

“我们先在百货大楼试了一款比较轻巧的，然后在一个不知名的小网站用更低的价格买到。我们需要容易搬上搬下公共交通工具的婴儿车，也不需要一些附加设备，比如婴儿车座。不过我确实喜欢那种三轮婴儿车，这样比较容易在不平整的路面上推，可是这种婴儿车对于萨拉来说太大太沉了。”

——查理

“买婴儿车可千万不要草率。你需要保证它可以让你的老婆很快就能从家里把它搬出来。梅尔生下宝宝很快就推宝宝出来遛弯了，这让她很开心，这样我下班回家，家里的气氛也很融洽。”

——马修

你其实还可以买二手的，这样能省下不少钱。婴儿车价格会依质量、类型以及扩展功能而不同。下面的清单是不同类型婴儿车的大概报价：

- 三合一型婴儿车

外形和普通手推婴儿车一样，但是可以改变推把方向，使得宝宝可以面对家长，或者面向前方。

- 旅行组合婴儿车

包含汽车安全座椅（同时也可以作为提篮）、手推车底座和配件筐。

- 三轮婴儿车

不要联想到小三轮和黄包车，三轮婴儿车设计精良、结实耐用、容易转弯，易于在不平坦的地面上推行。同普通婴儿车的塑料轮胎相比，三轮婴儿车采用的是充气轮胎，让宝宝感觉更舒适。不过缺点是充气轮胎有可能会爆裂。

- 折叠式婴儿车

婴儿头朝前，车座下有储藏筐。折叠式婴儿车易于折叠，也很轻，非常适合使用公共交通工具的家长。

你知道吗?

宝宝在婴儿车里的朝向能够影响宝宝的阅读能力

最近由顿提大学进行的一个研究发现，婴儿在婴儿车里如果面向父母，他们会更少感到压力；而且爸爸同宝宝说话的频率是宝宝面朝外时的两倍——这使得宝宝笑得更多，并且更加有自我意识。

婴儿车购买小贴士

在测试婴儿车的时候，记得把下面的小贴士带上。

- 试试推车把手能不能调节到适合你的高度，这样你就不用弯着腰推车了。
- 婴儿车是否结实——你们都要测试一下。然后问别人借一个嚎啕大哭，9 斤重的“小蠕虫”放到车子里，试着单手推推。
- 婴儿车的刹车是否好用，刹车器是否容易合上和打开。
- 婴儿车看起来安全吗？利于清洁吗？
- 婴儿车能放进你的汽车后备箱，能搬进公共汽车吗？能搬进家门吗？

9. 选择儿童安全座椅有什么讲究？

买婴儿用品可没有什么男女之别，爸爸妈妈都能买；卖东西的更不在乎谁输入信用卡密码。

但是有些婴儿产品确实是爸爸有义务主动购买的。为了方便，你和老婆可能需要列一个婴儿用品详单，研究过后，分头去买。但是如果你是家里常常开车的那位——或者你非常心疼你的宝贝车——那么你更应该去买儿童汽车安全座椅。

你可以去商业街上的名牌折扣店，也可以去一些大品牌的网上专卖店。记得要货比三家。买其他大件或是较贵的产品也是如此，比如摇篮、婴儿监控器（音频版或视频版均可，从小训练宝宝在监控探头下生活）和婴儿床。

在品牌实体店买儿童安全座椅可以让你亲手触摸到货物，而且一般边上都有销售人员告诉你怎样在汽车上安装，为你指出不同款式的不同附加功能。

如果你想用私家车把新生儿从医院接回家的话，你必须准备好一个儿童安全座椅。英国法律规定，孩子在0 ~12 岁之间乘坐小轿车时，必须有安全座椅或是座椅辅助垫。

如果宝宝已经回家之后，你才准备购买安全座椅的话，一些大商场，会提供“测试”座椅。你可以把宝宝放进“测试”座椅，测试一下尺寸，试试安全带，从而大概了解一下安全座椅如何使用。

此时——老婆怀孕 20 周左右——你可能还在考虑预算和商品价格。以下是一些知名品牌，供你在计划预算时参考。

儿童汽车安全座椅：

- 法国“贝贝舒”Baby Confort
- 英国“百代适”Britax
- 美国“葛莱”Graco
- 荷兰“好孩子”Good baby
- 英国“好爸妈”Good parents

婴儿车：

- 荷兰“博格布”Bugaboo
- 意大利“智高”Chicco
- 美国“葛莱”Graco
- 英国“玛格罗兰”Maclaren
- 英国“母宝”MotherCare
- 荷兰“奎因尼”Quinny

购买儿童汽车安全座椅时，我应该注意什么？

手头不宽裕的时候，二手的大件商品会比较诱人。但是，在儿童汽车安全座椅上可不能省。

“购买安全性比较重要的物件，如安全座椅，你肯定希望知道它的出处。”盖伊·伯德说。盖伊是一位汽车专栏记者，同时也是两个孩子的爸爸；他定期为《父亲季刊》对一些家庭款汽车做上路测试。据皇家事故预防协会（RoSPA）称，了解安全座椅的出处是以防座椅有什么质量隐患，或者是曾经在事故中受损。所以最好不要买一个你不知道使用历史的安全座椅。当然，你完全可以考虑好朋友送给你的一个座椅——虽然它们已经在阁楼积满灰尘，但是十分可靠。

宝宝坐汽车时，你需要为他/她买一个“0”号背向安全座椅。“0”号座椅能够保证0～9个月的婴儿的安全使用，直到他们的体重超过9公斤，并且能够坐起来自己抬头的时候。

你也可以买“0+”号安全座椅，适用于刚出生到13公斤的宝宝，大约就是0~15个月或18个月的宝宝。

如果你希望买一个能用得更久的座椅，那么“百代适一级座椅”——适合0~4岁（18公斤）——这一类的座椅就比较合适。此类座椅在宝宝体重13公斤之前可以使用背向安装，等宝宝9~18公斤时可以使用正向安装。

买安全座椅的同时，也可以考虑为宝宝买汽车遮阳板。即使在英国，也有用得着遮阳板的时候。可以把印着笑脸的遮阳板贴在汽车的挡风玻璃上，以免宝宝受到阳光直射。当然，有可能你觉得贴这种明显表示“Baby in Car”的遮阳板会让爱车丢面子，你也可以使用遮阳卷帘。

安全座椅和我的汽车匹配吗？

如果你的汽车是1999年之后制造的，那么应该配有国际标准化组织固定装置（ISOFIX），这是指在汽车后排座位座垫两侧有安全座椅固定装置。这些固定装置同汽车底盘相连。“使用ISOFIX固定装置比仅仅使用安全带固定安全座椅要安全得多”，盖伊·伯德说。

但是，不同的车型，其汽车座椅、安全带和固定装置都不尽相同。所以没有一款安全座椅是适合全部车型的；而且尽管ISOFIX固定装置是为了标准化而设计，还是有些车型只能使用特定的一些ISOFIX座椅。想要查看安全座椅是否和你的汽车匹配，请登录你的汽车制造商网站，它们应该有匹配车型的配置目录。

如果没有相关匹配信息，而且你也不确定到底买哪种安全座椅的话，可以去专卖店。“哈尔福德”专卖店就有专人带你挑选各种型号的座椅，并且帮你正确安装。

如果你买的是一个“旅行组合婴儿车”（婴儿车加安全座椅），你还可以去专卖店，店员会向你展示如何安装使用。

如果你在宝宝出生的第一年就经常开车带他/她出门的话（或者由保姆开车），记得选择带可分离底座的安全座椅。工作原理是先把可分离底座同ISOFIX固定装置相连，再把安全座椅安装到底座上。这样，照样可以保证安全，而且把可分离底座安装好之后，就不必每次下车时都把安全座椅连同底座一起卸下来。每次上路的时候，只需把安全座椅轻轻扣入底座即可。

如果老婆怀着双胞胎，一定要在购买安全座椅时告知销售商，还要去双胞胎和多胞胎协会看看有没有什么优惠活动。

宝宝乘车提示

- 把安全座椅安装到驾驶员后方的座位上。这样，老婆可以坐在副驾驶后方的位置照顾宝宝，如果老婆坐在副驾驶位置，也方便扭头查看宝宝的情况。
- 在车内后视镜上安装一个迷你后视镜，并且把它对准宝宝。这样你在看后视镜时，也可以顺便查看宝宝的情况。
- 如果有空间的话，可以在安全座椅或者可分离底座下垫一块塑料席，保护车座内饰不被宝宝的食物、牛奶、面包屑等东西弄脏。
- 要习惯在后备箱准备一个专门的书包——里面装上宝宝的玩具、书籍和备用毛毯。
- 等宝宝长到可以使用正向安全座椅的时候——9公斤，即12个月左右时，需要使用“1”号安全座椅。还要在车座靠背再垫一个保护膜。要知道，宝宝的便便可是汽车坐垫的头号敌人。

孕中期的其他准备：育儿室和父亲身份

孕期：25~28 周

这个阶段，胎儿身长大概在 25~30 厘米之间。老婆已经能够感受到宝宝在里面乱踢乱动了。开始的时候，她会有“颤抖”的感觉，然后渐渐感到宝宝有力的踢蹬，尤其是外界有声响或是抚摸的时候。胎儿在 24 周左右会出现“快速眼动”，这说明他们此时已经可以做梦。胎儿也会吞下一些羊水，从而打嗝。通过听诊器，已经能够清晰地听到婴儿的心跳。你也可以把耳朵贴在老婆的肚子上听。当然，最好在自己家做这件事。

1. 怎样布置婴儿房?

如果你还不知道宝宝的性别，那么你可以把婴儿房的墙涂成比较中性的颜色。等宝宝出生，再通过壁饰和墙画来突出宝宝的性别。

你可能只想把婴儿车搬进客房就完事。即使里面的骑车健身器也已经成了挂衣架，搭满衣服，你也懒得收拾了。而且，反正宝宝只在里面睡觉，根本注意不到里面的摆设。但这样做不合适，原因如下：

- **你以后也会经常呆在里面：**不仅仅宝宝会呆在婴儿房里，你和老婆也会在里面安营扎寨，因为你们得给宝宝喂饭、换尿布，还要哄宝宝睡觉。如果老婆在别的屋给宝宝喂饭或者安慰宝宝，你也有可能为了获得片刻安宁，时不时在里面睡觉；或者你觉得看着熟睡的宝宝，能让你跟宝宝建立更好的感情；其实大多数情况下，你是因为“行为不端”，被老婆从自己床上赶下来，只好到婴儿房呆着——所以你最好在婴儿房里放一把舒服的椅子或者不要把里面原有的床搬走。

- **婴儿房应该是个有趣的地方：**一些教科书宣称，婴儿房里太花里胡哨会影响宝宝睡眠，但是婴儿房至少应该是个温馨的地方。这里应该是宝宝听爸妈讲故事的地方，而不是惩罚宝宝的地方。只有这样，宝宝才会愿意去婴儿房睡觉。

- **婴儿房应该选择轻松的色调：**就算屋子采光不好，黄色的墙面也会让人有阳光充足的感觉，不过你的大黄脸可没有这样的效果。而红色和橙色则会令人感到兴奋，所以不合适。蓝色会让人感到平静。如果不确定的话，就把墙刷成白色吧。

准爸爸答疑

婴儿房……我该把各种婴儿用品放在哪儿？

婴儿房——很舒心、很理想主义的名称。其实就是家里原来的空房或者客房，它在未来几年里将被当做你儿子或者女儿的卧室。准备婴儿房的工作（如果你还没完成），就从现在开始！因为从现在起，你的老婆已经不能再搬动任何家具了——以免造成羊水破裂；或者是因为她闻到油漆味会作呕。你也会发现产前产后忙活得精疲力竭之后，除了睡觉，你什么都不想做。

2. 如何才能让宝宝住得更安全？

上一章提到电插座保护帽是一个伏笔，这里要再多说几句关于宝宝在家中的安全问题。别慌，现在离宝宝能在家撒丫子乱跑还有好一阵子时间，所以你还有充分的时间做准备。但是一旦宝宝能跑能动，他们会把在婴儿床上“憋”了几个月的精力全用在东摸摸、西瞧瞧上；他们会好奇地探索每一个角落、每一个缝隙，试图把手插进任何一个小洞（电插座），摸摸每个门把手……到时候，你平日下了班后，得拖着疲惫的身体给宝宝喂饭；周末又只想多睡会儿懒觉而不是去做家居布置。所以，反正你现在要布置婴儿房，顺便就多做些工作吧：

- **检查室温：**婴儿床不要离暖气太近，也不能受到阳光直射——可以把暖气调小并且安装一个百叶窗，以保证婴儿房温度不超过推荐温度。这样宝宝白天时的小睡质量也会更好。在屋里安一台电风扇和一个温度计，它们同时还能测量宝宝洗澡水的温度。据婴儿死亡研究基金会（FSID）称，婴儿房温度应该保持在16～20摄氏度，所以18摄氏度比较理想。你还可以安装一个“蛋型室温计”，它在夜里能够发光，如果室温过低或过高，它还能发出警报。

- **安装一个一氧化碳监测器：**皇家事故预防协会、居家安全部门主任希拉·美玲建议，家长应该在家中安装一个一氧化碳监测器。一氧化碳是一种无味无嗅的气体；它不仅来自于煤气，也会来自任何燃烧化石燃料的炉具，而婴幼儿更容易受到一氧化碳的毒害。

- **安装一个烟雾报警器：**最好是自带电池的报警器，而非接入家庭电路的型号。大多消防单位会为你免费提供并安装烟雾报警器。这种报警器往往内置电力持久的电池，但是一般不能更换。
- **注意装锁：**希拉·美玲还指出，不论是哪种安全设备，不管它有多么高的科技含量，都不能完全代替家长对宝宝的监督和保护。话虽如此，一些安全门，窗锁还是能够防止一些事故的发生，尤其是和楼梯有关的事故。给放着药物和清洗剂的壁橱装锁是一个好的开始，而且越早越好。

3. 应该把汽车换成“家庭用车”吗？

家中添丁意味着你的宝马敞篷车要下岗了——得换成一辆尽管不拉风，却更加实用的家用车型。你可能会十分不舍地把敞篷车钥匙交给汽车商人，并且考虑买一辆什么颜色的家用沃尔沃。不过在这之前，汽车专栏记者盖伊·伯德希望你先考虑以下一些关键问题：

车内空间是否合适？

估计一下你需要多大的车内空间——如果你要携带婴儿车的话，尤其要考虑后备箱的大小。伯德提醒说，有些车华而不实。

选择上下车方便的车型

为了你的脊柱健康，你最好选择五门掀背车型，而非三门版车型。背部保健专家建议，只要宝宝坐在车上，家长就应该一同与宝宝坐在后座——当然，这类家长不是指那种周六晚上急匆匆把宝宝送到奶奶家就走的那种。你在把宝宝抱进抱出汽车的时候会腰疼，而且会因此骂街，对此，你可要有心理准备。伯德建议，在你买车之前，先在汽车后排安装一个儿童安全座椅，然后在里面放一包10斤重的土豆，试着单手把土豆提出来，再放进去，如此反复几次，这样你和老婆就能大概体会到以后是什么样的情况了。

考虑安全因素

购买之前要考虑各种车型的安全性。

可以先租一辆试驾

成了准爸爸，你可能会倾向于购买一辆特别环保的汽车。你可能不会去考虑高油耗的大家伙。但是，你可能要自食其果！一些家长已经把低底盘的轿车换成了 SUV、吉普或者其他高底盘汽车，他们很确定地说，这样能够更容易把宝宝抱进抱出车辆。

注意选择内饰

车辆内饰是否易于清洁？据估计，宝宝在两岁半之前，会产生 250 升尿液和 100 公斤便便。虽说很多时候，便便都可以用尿布解决，但是并非每次都是如此。而且宝宝呕吐起来也很“天马行空”。所以记得在后备箱准备一块抹布和一瓶清洁剂。相比之下，皮质内饰要比布饰方便清理很多。

加装孕妇安全带调整器

你可以在符合安全标准的供应商那里买到为准妈妈设计的安全带调整器。显然，老婆在经历宫缩的痛苦时，你可来不及去订购这个东西——如果发生这种情况，先把老婆安排妥当，然后通知医院你们已经在去医院的路上。

4. 什么是陪产假?

据机会平等委员会（EOC）的调查问卷显示，23%的男性并没有意识到自己有权在孩子出生的时候休假。

简单说来，陪产假就是孩子出生后为男性提供的一段假期。享受陪产假是因为你符合以下的情况：

1. 孩子刚出生，你一方面需要照顾老婆，让她从分娩的创伤中恢复，另一方面需要跟宝宝建立感情；

2. 你需要布置婴儿房或者需要搬家。

在这些情况下，用人单位允许你进行的带薪休假。不过，具体情况还需要你跟单位相关负责人商议。目前，英国的法律是允许新生儿爸爸进行最长两周的带薪休假，条件如下：

- 你必须是孩子的生父——至少是孩子生母的丈夫。
- 你休假的目的是为了照顾孩子和产妇（尽管你可能会用这两周给浴室贴瓷砖）。
- 你需要是正式员工，并且在预产期15周前已经在公司上班满26周（拿出日历，找到预产期前的一个周日，然后向前数15周——这就是预产期15周前的日期）。

陪产假时有多少薪酬?

不多。在职爸爸如果符合上述条件的才有权获得法定陪产假薪酬——由你的雇主支付，共发两周，每周仅仅117.18英镑。这笔钱基本上只够一周的尿布钱。机会平等委员会的那份调查问卷还发现

41%的新生儿父亲无法负担陪产假时的经济窘境。一些雇主会提高陪产假薪酬，但是只有符合法定陪产假薪酬的额度能够得到税务海关总署的报销。而另一些雇主会刁难申请陪产假的爸爸们。尽管大多数准爸爸都有权休陪产假，但是1/5的雇员表示在他们申请陪产假时曾遭到雇主的刁难。许多准爸爸选择在孩子出生前后休年假，以免在关键的时刻缺乏资金支持。

跟其他国家相比，英国的准爸爸们的休假福利是相对慷慨的。而在美国，根本就没有相关国家扶助政策；但是在瑞典，爸爸们的陪产假最长可以达到8个月，这能使他们充分参与到育儿过程中去。瑞典法律鼓励公司在政府的津贴额度之上追加补助新生儿父亲，一部分原因是希望产妇能够尽快地回到工作岗位。

在我国，新爸爸的陪产假还没有统一的相关规定。但不同的地方出台有不同的政策，可以咨询或是查看一下。一般来说，有无陪产假或时间长短跟当地和单位规定有关。

如果我是个体经营者呢?

尽管多数在职爸爸可以享受带薪产假，并且一些公司鼓励爸爸休产假或者允许他们弹性利用工作时间，但是个体经营者无法享受任何形式的国家休假津贴。因此，一些身为自由职业者的准爸爸为了能够负担起宝宝出生时由于无法工作而造成的经济损失，不得不在宝宝出生前的几个月就开始调整自己的收支预算。所以，你也应该查询你能享受到的任何福利和减税政策（参见第八章“削减育儿成本”详表）。

什么时候申请陪产假?

你需要在预产期之前第15周的最后一天之前正式向公司申请陪产假。如果要申请领取法定陪产假薪酬，你需要提前28天通知雇主，并提交书面证明，内容包括：

- 预产期的具体日期
- 需要休假一周还是两周
- 希望什么时候开始休假

但是，有些老婆生产前后会有各种医院检查或者其他复杂情况，你最好提前做些准备工作，这样你就能在陪产假期间轻松一些。

5. 准爸爸如何在工作和孩子之间寻求平衡?

如果你是一个全职准爸爸，你很有可能需要经历至少一次以下列出的事件：

- 同产科医生见面
- B超扫描（至少两次）——第12周和第20周
- 产前教育
- 老婆分娩
- 陪产假
- 宝宝出生登记
- 宝宝预防接种
- 其他复杂状况

鉴于以上大多数事件都发生在工作日（除了同老婆一起参加的产前教育），你不得不尽力在工作和孩子之间寻求一个平衡点。因此，一旦你知道自己将要当爸爸了，就要立刻通知你的雇主。并且及时通知你的部门经理和公司人力资源部门——一部分是为了按程序办事，另一部分是可以看看公司给予准爸爸哪些具体的权利和待遇。“Talking Talent”猎头公司的产假与陪产假顾问乔·里昂说，你最好先同人力资源部门进行沟通，看看他们有什么意见，能提供什么帮助。他们可以建议你如何把你要当父亲的消息告知雇主。这一切听起来是不是有些吓人？其实很多公司对新生儿父亲提出的要求，还是很乐于考虑的——毕竟，雇主们自己也是父母，人之常情嘛。事实上，往往是准爸爸们把自己拴在办公室，剥夺了自己分享老婆怀孕过程中美妙时刻的权利。

这种情况也是可以理解的。你得为家里嗷嗷待哺的婴儿提供吃穿，布置婴儿房，还得养车，所以你更需要紧紧抓牢手中的工作。而且老婆可能已经不再上班，或者至少会收入减少，所以不论你多么想要参与到老婆的妊娠期活动中去，你都不得不在工作、家庭和经济收入上付出更多。

在决定如何在工作和孩子之间寻求平衡之前，最好同老婆坐下来谈谈，决定哪些是最重要的，哪些是你必须陪同的事件。医生和护士往往决定了这些事件的时间——想要做临时调整是很困难的，尤其是你的老婆还在上班的话。所以，你要有心理准备，因为你会有可能错过一些关键的孕检甚至是B超检查。

把同事“拉入伙”

让同事们知道你需要去照顾老婆或者参加老婆的B超检查，获得他们的支持，这样你有事儿的时候他们可以帮你分担一些工作。等到“新生儿庆生酒会”的时候，记得要邀请他们，以示感谢。

跟有孩子的同事聊聊

问问他们当时是怎么做的，是如何在工作和孩子之间寻求平衡的。他们可能还知道公司为新生儿父母提供的优惠政策，比如安排弹性工作时间。

保持客观的心态

在如今的经济大背景之下，想要休假更加困难而且更容易因此丢掉工作。但是，乔·里昂说，初为人父的经历只有一次，所以你一定要把握好这个经历。尽管你陪产假的要求合情合理，但是有时你只能去参加那些你认为关键的事件，而且你必须尽可能多争取陪产假。

如果婴儿早产或者晚产怎么办?

某天上午 10 点多，你突然从办公桌前跳起来，表情慌张，嘴里嘟囔着："连婴儿床还没有买好呢。"你的同事们一定会猜到：宝宝突然早产了。你的窘相肯定会成为他们的笑料。

此时，你需要把婴儿早产的消息正式通知你的雇主。虽说在你冲向医院的途中，脑子里肯定想不起来通知人力资源部门或者部门经理，但是根据政府出台的政策，在"合理可行"的时候，你需要通知主管部门你是否开始陪产假，是否会在一到两周之内不上班。

同样的，如果婴儿晚产，你也需要尽快通知主管部门，以便推后陪产假日期。妊娠期间，各种虚惊不断，有时候你头一天疯跑到医院，第二天又回来上班了，嘴里咒骂着布拉克斯通·希克斯和他发现的"假宫缩"。还要记得及时通知你的雇主和为你分担工作的同事。如果你有任何问题，请与公司人力资源部门沟通（如果你们公司有这个部门的话）。

陪产假必须在婴儿出生56天内结束。如果你已经在公司供职一年以上，还可以申请“不带薪陪产假”。这样，加上带薪陪产假，你可以有更多休假时间。

6. 老婆怀孕的时候还能坐飞机吗?

如果你预订了一个出境游，或者想给老婆一个惊喜而做短途飞行到外地，以下的一些事情你必须了解。

首先，打预防针。尽管老婆已经进行了数项检查和测试，她现在可能还是会晕针。所以，她估计不愿意再接种任何疫苗——更重要的是，她也许不适合进行任何疫苗接种。皇家产科和妇科学院列出了一份清单，包括孕妇可以接种的疫苗和不可以接种的疫苗。不可以接种的疫苗，往往使用未灭活的制剂，如脑灰质炎疫苗（口服）、伤寒疫苗（口服）、黄热病疫苗和麻风腮疫苗，而这些疫苗会对胎儿造成伤害。

皇家产科医生学院就孕妇乘坐飞机问题，向英国航空公司等一些航空公司提供建议称，如果你计划坐飞机出行（现在是老婆的第二个孕期），那么就要趁这个时候。许多航空公司接受孕妇乘客，但是有孕期限制，一般在妊娠期34周以后的孕妇不予接受。你和老婆最好同选定的航空公司直接联系，查询他们的规定，因为不同航空公司有不同的规定，25～34周不等。因为一些孕妇在乘飞机时会由于高海拔空气成分与陆地不同而造成早产，所以皇家产科医生学院称，没有绝对的安全飞行时间表适用于每个孕妇。

不管是否坐飞机旅行，只要你决定带着怀孕的老婆出境游，记得检查你的旅行保险细则。如果老婆因为分娩而让你们停留在其他欧洲国家的话，你们可能需要付医疗费——尤其是宝宝早产，并且需要专家诊疗的话。查清哪些国家与英国之间有医疗互惠政策(包含生育费用)，并且查询哪种旅行保险可以赔付在外国的生育费用。

准备好应对突发情况　孕期：29~32 周

这个阶段，胎儿身长大概在 33~40 厘米之间，体重大约 1.4 公斤。胎儿的眼皮也会首次睁开。胎儿开始长头发——而你可能正在痛苦地揪头发。胎儿现在处在“可生育”阶段——也就是说，如果胎儿现在出生，成活率会较高。现在，连接胎儿大脑情感和思考的大脑皮层已经开始发育。而且老婆现在能够高兴地感觉到胎儿在肚子里翻身。

1. 准爸爸非得参加产前培训班吗?

这取决于你的心态。这对你来说可能是个绝好的机会：学习生育知识（本书之外的），结识其他一样惊恐万状的准父母。这对你来说，也有可能纯属浪费时间：讲课的医生或护士也许十分蛮横，不仅推翻了你之前读过的所有知识，还在演示的时候，强行把一个用作道具的头部塞过塑料子宫模型。

尽管许多人说产前培训班只是一个产期聚会罢了，准爸爸们参加也只是为了表态而已，但是产前培训班还是有一定用处的。你能学到如何在老婆宫缩时照顾老婆，什么时候去医院，会出现什么情况；你还能了解到生产过程中的常见问题，以及不同种类的分娩方式。

你知道吗？

该上课啦！

“父亲手册”的研究显示：上过产前培训班的爸爸懂更多生育知识，在老婆生育和抚养婴儿方面的准备也更充分。

如果我只有时间上一节课，该上哪节课呢？

护士们一般都会回答：“关于分娩的那节课”。所以你要问清楚他们这节课的时间，以便准时参加。

对于准爸爸来说，这是最难的一节——准备好受打击吧——其内容还会涵盖产后事宜。据梅尔文·登斯塔尔称，准爸爸在产前培训班里问得最多的问题就是："我们什么时候能过性生活?"产科医生们会回答这个问题，并且提醒准爸爸们需要避孕措施——这对你也是一个提醒，因为老婆在生产后不久就能再次怀孕。

参加产前培训班，记得要带走以下东西：

- 免费饼干
- 问题的答案：关于最后几个月会经历的问题、你对宝宝出生感到焦虑的问题，或者是一些课后与医生或护士单独聊天时问到的敏感问题。
- 其他班上准爸爸的电话号码或电子信箱地址。不管他们是哪种准爸爸（你会对身边的夫妇有所认识）——"无所不知"准爸爸、"假妊娠"准爸爸或"无所谓"准爸爸——事后你会发现，在产前培训班里认识的朋友会派上用场。你可能会跟其他准爸爸互相出售自己多余的婴儿用品，帮助对方照看孩子或是一起去酒吧借酒浇愁。
- 总之得带走点儿什么。有很多准爸爸会跟你说："这课可真是浪费时间""医生或护士都只跟孕妇说话"之类的。但是如果你能看到这个课程的价值所在，即大家可以畅所欲言，还能够填补你和老婆之间的认知差距，这才是真正的收获。

我需要提前看一下产房吗?

如果课程是老婆登记生产的医院开设的，那么你可能会被邀请参观产房。如果老婆将要采取水中分娩法的话，只要当时没有人正在使用，那么你还能参观分娩池。记住，老婆分娩时你不在身边的可能性总是有的，而你到时候有可能需要通过电话给其他人指路，所以一定要把产房的位置记得一清二楚。

- 询问家属等待区的位置，以告知老婆的娘家人。
- 找到停车场。了解清楚医院是否需要刷卡停车，如果不用，那么是否收费。
- 找到贩卖机的位置。分娩是一个漫长的过程，有时有可能比一季连续剧还长。在此期间，你和老婆都得补充能量，所以记住哪里卖吃的东西。

准爸爸经验之谈

只有准爸爸参加的课程

“我开始以为这是个给准爸爸做心理咨询的课程，但是后来发现这个课很实际。他们向我们展示（用各种道具和图片）母体内发生的事情，以及顺产时的情况。通过上课，我还明白了为什么老婆梅尔在妊娠期的不同阶段会有痛感。”

——马修

“让我感觉不错的地方是，我是跟其他的准爸爸见面，这是男人之间的聚会，而不是孕妇之间的聚会——这样我们之间的互动更自然。我感觉自己更敢于提问关于妊娠的问题，如果是在酒吧里，我肯定不会跟伙计们这么做。说实话，大家都很放得开，这让我十分惊讶。由于大家对身边的人没有先入为主的偏见，而且课程很短，所以很顺利。”

——保罗

“大家的问题都很相似，这让我很惊讶。我开始有些拘谨，但是几分钟后，别人也说自己有些紧张，我就感到好多了。我发现我跟别人的情况差不多，这让我有了一些信心，明白一切正常。几分钟之后，讨论就非常轻松了，大家都放开了，并且笑声不断。因为我和老婆决定在家生产，所以国家育儿信托基金会的组织者建议我在视频网站上观看家中生产的视频。我最后看了几段，竟然没有晕过去。事实上，我得到了一些额外的知识，那就是小孩出生没有什么可恐惧的。这样，我能保持镇定，并且理解每个阶段发生的事情。我并没有晕倒。”

——查理

“我问过一些上过课的朋友，他们说：‘去吧，很有意思’。开始，我觉得这课对我来说太前卫了，但是后来发现通过老师讲解、图片展示、器具展示，我能够知道分娩的细节，这样我在老婆分娩的时候不至于太惊讶和有压力。上课的还有其他准爸爸，让我感觉不错。跟别人交谈后会发现，不只是你和老婆有一些不良反应，别人也有。”

——汤姆

“对我来说学到的关键知识有：宫缩的时间（也就是该去医院的时候）是什么时候；产房会很热（衣服不要穿太厚）；你可以在医院刷卡停车；如何教老婆在生产时调整呼吸。”

——多米尼克

2. 在老婆的生产计划中，我应该扮演什么角色？

一些产前培训班会讲到“生产计划”。生产计划是很有用的，产妇可以提前把生产时的一些需求、想法和愿望写下来。你的老婆会把生产计划当成一个信条。不幸的是，不是所有的医护人员会理会老婆的生产计划——这时，就该你上场了。

分娩是一个持续数小时的过程——有些情况下，会有几天（对，就是几天）。在此期间，医护人员会换班。所以，你刚进医院时接诊的护士和宝宝降生时的护士，很可能不是同一个人。

这样，在老婆分娩时，你就是她身边唯一不变的人。这就是为什么你需要了解清楚老婆分娩过程中的各种愿望。梅尔文·登斯塔尔建议，产妇应在进产房之前同护士就生产计划进行沟通，以做出最好的选择。

在老婆的分娩过程中，你的角色就像是站在拳击场圈外的教练，你要给拳击手揉眼眶，打气鼓劲，但是没法替他上场打拳，这跟你没法替老婆生孩子是一个道理。但是你的职责是通过不断同产科医生沟通，以保证老婆的愿望都得到实现。

记清楚（写下来或者记在心里）老婆在分娩过程中的愿望，主要是因为她分娩时会非常痛苦，无法思考。所以，现在就问清楚吧：

- 她想要用什么样的止痛药剂？
- 她希望其他人去医院陪侍吗？在漫长的分娩过程中，作为准爸爸的你，也有可能会中场休息一小会儿，所以附近要有能接替你照顾她的亲友，记住他们的电话号码。

- 她分娩时希望采取哪种姿势。
- 宝宝出生后，她希望抱抱宝宝吗？
- 她是否愿意采用剖腹产？是否愿意接受外阴切开术——侧切？产钳助产还是真空吸引器助产？
- 她希望你剪婴儿的脐带吗？
- 她希望如何给宝宝喂第1次奶？是母乳，还是奶粉？

看到这里，你肯定准备翻到本书后面的“术语表”，查看“真空吸引器助产”是什么意思了？你可以把这些东西都记下来，一般来说，产妇的愿望都能实现，但是也要有心理准备，因为生产计划可能会和真正分娩时的情况略有出入，而且分娩过程往往充满变数。分娩过程中，如果老婆感受到的疼痛超出了之前的估计，丈夫却大叫：“她不想用硬膜外麻醉剂。”梅尔文认为这样是非常不好的。因为即使有生产计划，也得顺其自然，审时度势——不要怕问问题，但是要听取产科医生的建议。如果在分娩过程中，产妇完全抛弃原有的生产计划，也不要感到惊讶。

3. 是否应该把宝宝的出生过程录下来?

想要录制宝宝出生，可能会出现以下的状况：为了争先看到宝宝头出现的那一瞬间，医护人员同我们的“斯皮尔伯格”先生争得不可开交。是否录制宝宝出生的过程，或者是否在宝宝刚出生时给母婴照相留念，说到底，应该尊重老婆的选择。如果你准备带上摄像机或照相机记录这一美妙时刻的话，请记得：

- **把机器装进包里：**把“相机”写在“待产包”（见第八章）的清单中，并且记的到时装进包里。

- **给机器充电：**要么就是准备好电池——医院可不会允许你把早产儿保温箱的插头拔下来，给自己的相机充电。

- **征求医护人员同意：**医护人员可能不会允许你在产房里舞动照相机，尤其你还开着闪光灯——所以一定要先征得同意。长杆录音麦克风？想都别想。

- **要有耐心：**照相之前，给老婆一些时间整理一下。如果她愿意的话，还可以梳梳头发，化化妆。在“待产包”里，最好也准备一面镜子——尽管这不是带镜子的主要目的……后面会讲到。

4. 在家分娩还是在医院分娩?

如果老婆没法决定，她会征求你的意见。不过她可能已经想好了，征求你的意见只是出于对你的尊重。让你感到棘手的是，她希望知道你深思熟虑过后的确切想法。好吧，下面谈谈我的看法。

一般准爸爸的意见会在一定程度上左右老婆的选择，主要是因为他会担心在家中分娩的安全问题。

但是做决定的还是产妇。帕特里克·欧布莱恩教授说，他见过许多想要在家生产的产妇最后决定去医院，因为她们看到老婆非常担心在家中生产的安全问题。

下面是一些你和老婆在讨论（争吵）是否应该把家当作产房时，所应该考虑的问题：

- **房间够大吗？**你得想好在哪个房间分娩。这个房间够大吗？保温效果好吗？如何处理羊水破裂和产妇失血造成的脏乱呢？

- **水中分娩法：**如果你们计划在家中实施水中分娩法，你需要看看房屋的结构是否能承受住大量水压的负荷。而且你还得考虑如何往池子里注水、保持水温，用完后如何把水排走。

- **她不想去医院是正常的：**在一个舒适、熟悉的环境生产，老婆会感到稍微放松一些（你也会）。

- **点心：**最好是请两位产科医生到家中接生，这样，你得准备足够的茶水和点心。

- **你可以不必太着急：**如果在家分娩，你就不必担心什么时候送老婆去医院，或是担心在去医院的路上堵车，使待产的老婆在后座疼得要死，羊水也洒满后座。

- **家里没有止痛药剂：**至少没有“一流”的止痛药剂。在家分娩，很少能给产妇使用止痛药剂，更别说剖腹产了，所以这个因素是最值得斟酌的。许多产妇在产前说自己不需要止痛药剂，但是很多在分娩过程中又会希望使用。如果在家里分娩，产妇就没法选择了。据国家分娩信托基金会的一项研究显示，40% 的头胎产妇在家中分娩过程中还会被转移到医院。

- **在家分娩开始流行：**英格兰和威尔士国家数据统计办公室 2007 年的报告中显示，自 2000 年以来，在家分娩的案例增长 54%，而且英国国家医疗服务系统也鼓励更多的产妇在家中分娩。

- **在家分娩也很安全：**数据显示，只要产妇没有复杂状况，即产科医生或医生没有预见任何可能的并发症，在家分娩和在医院分娩一样安全。据 2009 年 4 月由荷兰发布的一项研究显示，在研究涉及的 50 万名产妇中，在家分娩和在医院分娩时的婴儿或产妇死亡率没有差别。

- **在家分娩的还是少数：**尽管在家分娩的产妇开始增多，2007 年，英国的 765，317 例分娩中，只有 2.68% 是在家中进行的。

你知道吗？

旱路不通走水路

在水中出生的宝宝不会有窒息的危险，因为宝宝只有在接触到空气，体温变低后，才会开始吸入第一口空气。

你知道吗？

医生不拍宝宝的背

不论是在医院还是在家里，产科医生在宝宝降生后做的第一件事，是用毛巾擦拭宝宝全身，令宝宝体温改变，进而激活呼吸系统。你脑中可能还会有这样的画面，产科医生倒提着宝宝，并轻拍宝宝的背部，让宝宝发出嘹亮的哭声，以使得宝宝的肺部张开，开始呼吸——这种做法早就过时了。

准爸爸答疑

准备好面对公众……

造人，当然是一件私密的事情。老婆分娩的时刻（尽管在场的还有医护人员）也是你和老婆的特殊时刻。但是，处在两者之间的怀孕期，那可就是面对公众的事情了。一旦老婆怀孕，你们就可以跟自己的隐私说再见了。你们突然成了“公共财产”，并且会尝到像明星被“狗仔队”刺探隐私一样的滋味。

最常见的情况是身边的人对老婆“动手动脚”。我说的是素不相识的陌生人会突然就想摸摸老婆的大肚子。在孕晚期，这种情况十分常见，让人感到十分不安。老婆的肚子越大，人们就越想摸。老婆对他们来说，似乎成了电影《人类之子》里那个世界上唯一能怀孕的女孩儿。久不联系的朋友、远方亲戚，尤其是汽车站一起等车的老妇人，都会很“自然”地开始发问。他们会非常直接，有些问题你和老婆甚至都没有讨论过，比如，宝宝的性别、起的名字、分娩方式，甚至还问你是哪种避孕措施造成的避孕失败，等等。不管你有没有问他们，一些人都会告诉你宝宝的性别，尽管这只是他们基于孕妇胎位的高低而做出的没有科学根据的猜测。之后，不用怀疑的是，他们一定不会顾及你和老婆的感受，伸手去抚摸老婆的肚子。

5. 怎样按摩可以缓解孕妇疲劳？

这里主要是指背部按摩。在产前培训班这种“速成班”里，你一般不会学到，但是作为准爸爸，这可是一项必备技能。老婆不断增大的子宫会带来很大的压迫感——再加上胎儿越来越重——会对老婆背部和腿部的肌肉造成不小的损伤。

她的坐骨神经也会因此受到压迫，腰部和臀部的疼痛感也会接踵而来。她对你的脾气也会越来越火爆。如果想赢回一些好感，那就学学怎么给老婆做按摩吧：

- 让老婆坐在凳子上，凳子上垫一个垫子或者坐在一个健身球上。
- 坐在老婆身后的沙发或者椅子上，然后把手放在她的腰部按摩，眼睛从她的肩头看过去，继续看电视里的比赛。
- 如果她不喜欢坐在健身球上，那就让她侧躺在床上，肚子下面垫一个枕头。
- 轻轻地在老婆后背的一侧，从下往上按摩，直到肩头。据一位来自伍斯特市榆树水疗中心的按摩师阿里西亚·哈维称（他开设准爸妈按摩课程），市面上有专供准妈妈使用的按摩精油。
- 准爸爸按摩的时候不能太用力。哈维建议准爸爸用手掌心或者指节轻轻地按摩。一定要轻，不要像运动按摩时那么用劲。

• 哈维建议，准爸爸按摩的时候不要忽略老婆的臀部和大腿（好像我们会忽略似的）。记得，还是要慢慢地、轻轻地帮老婆按摩这些感到疼痛的部位。

• 一旦听老婆说："哎呦，就是这里！"要重点照顾这种部位，用大拇指稍用力、划小圈进行按摩。

老婆可能还想让你给她做脚部按摩，这就不如按摩背部有意思了。不过想要偷点儿懒的话，可以用热毛巾裹住她的脚，或者让她把脚浸在放着热肥皂水的盆里。这样能够减轻脚部的肿胀，缓解脚部酸痛。

让你的手指活动起来

你和老婆之间一定会有关于"我俩是怎么打发孕期时间"的趣事。但是帮老婆按摩会阴部这件事，你肯定不会跟朋友说。会阴部按摩有助于老婆分娩，并且减少老婆接受会阴侧切术的几率。因此，准爸爸会试着去按摩老婆的会阴部。产科医生一般不会推荐会阴部按摩，因为并没有科学证明它的功效。但是，还有很多夫妻会进行尝试。还是有一定好处的，不过不是必需的。

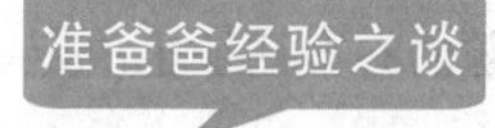

感受父亲的角色

"刚开始，我对老婆怀孕的感受并不深切，但是老婆梅尔会跟我悉数报告一切。每次我们一起在家，只要宝宝动弹了，她就会把我的手拉过去，按在她的肚子上，让我去感觉。在她最初感到宝宝踢她的肚子的几天，她想出了一个让我体会这种感觉的方法——听起来可能有些怪异，但是确实有用。她用手指伸进我的嘴里，从我面颊内侧向外轻轻戳，让我明白大概的感觉。我陪他参加了所有的产检。梅尔第一次出现假宫缩的时候，是我正陪她走路上班的途中。我已经承担了所有家务——洗衣、做饭、打扫等等——还要保证梅尔想要什么的时候，我就去给她买。出来散步的时候，我尽量不大包大揽，让她能自主活动，但不是每次我都能做到。”

——马修

6. 好名好运，怎样给宝宝取名字？

有些书通篇都是讲如何给宝宝起名字的。尽管这些书可读性没有那么强，但是也突显出起名字这件事是多么重要。给宝宝起名字其实无章可循。如果你最近在儿童游乐场边上散过步，那你一定会发现如今小孩们的名字很多都受到了时尚、怀旧、电视真人秀的影响，有些名字还十分可笑。

生完孩子之后，别人见了你往往会问："宝宝是男孩还是女孩?"下一句就是"想好宝宝的名字了吗?"第一个问题的答案往往也决定了第二个问题的答案。不过如果你还不知道宝宝的性别，你可以和老婆玩个有趣的游戏。拿一个写满各种宝宝名字的本子，对着老婆的肚子念，看看哪个名字会引起宝宝的"骚动"——踢老婆的肚子或是在肚子里翻跟头。

起名字时，可以考虑以下一些事项：

- **名字听起来怎么样：**把你想好的名字，连上你的姓氏（或者老婆的姓氏）大声说出来。

- **试试小名：**想想宝宝的名字怎么能够缩短，变成小名，再看看小名念起来好不好听。

- **有没有家传的名字，需不需要用辈分：**用先人的名字是为了保持所谓的家庭传统，尤其对中国人而言，给新生婴儿取名字是一件十分重要的事情。这需要参考夫妻两人、双方父母的意见。按传统来说，新生婴儿很多还要按照家传的辈分取名。

- **“责骂”实验：**不管宝宝多么乖，在他们成长的过程中，你总是有大声喊他们名字的机会，尤其是要制止他们做一些危险、恶意的事情，或者因为他们距离你过远。试着大声喊出宝宝的名字（反正喊孩子的事情一般都是爸爸做），看看效果怎么样。也许你会突然发现“拉万达·布”或者“杏仁公主”或者其他明星给他们孩子起的流行名字，都不怎么好听了。

如果我和老婆有意见分歧怎么办?

老婆想好了一个名字，可能你不喜欢，或者你想好了一个名字，老婆又可能不喜欢。这里有一个解决分歧的办法：你和老婆各列一个清单，上面写好自己喜欢的一些男孩名字和女孩名字；交换清单，然后划去自己不喜欢的名字，再把剩下的名字整理到一起。你不必在宝宝刚出生的时候就起好名字，所以现在还没有起好名字也不要着急。而且往往在宝宝出生前起好的名字不一定就是宝宝出生后用的名字。看到宝宝第一眼的那一瞬间，发现宝宝和你长得真像，或者是宝宝的“性格”那么像你，你也许会重新考虑一个名字。

7. 准爸爸有“假妊娠”？

这个术语你可能最近经常听到，尤其是你胆敢抱怨最近身上有莫名的疼痛感或刺痛感。老婆会说你这是“假妊娠”或“妊娠共鸣”。不过老婆可能主要是想表达对你的“鄙视”。

但是很多研究发现，至少有10%的准爸爸会出现“拟娩症状”，也就是“假妊娠”。这里是指准爸爸会出现老婆怀孕时相同的症状。

伦敦圣乔治大学对282名准爸爸的研究发现，那些有“假妊娠”症状的准爸爸据称会出现腰背酸痛、恶心呕吐、贪食、增重甚至还有假宫缩！

好消息是这些症状会随着老婆怀孕时间越来越长而消失（所以，你不必预订两个分娩池）。据一些心理学家称，这些症状产生的原因是准爸爸潜意识里过于在意老婆怀孕，以至于有些过于“入戏”。

心理学家拉塞尔·赫恩说，假妊娠可以理解成一种移情作用的极端形式。他认为，准爸爸会感受到和老婆一样的疼痛是因为他的大脑从准妈妈那里接收到情感信号，然后在自己体内重新转化为感官信号。赫恩认为，从本质上讲，出现假妊娠症状的准爸爸主要是在潜意识层面感知老婆，然后他的身体会对这种心理信号进行重建。遗憾的是，每次老婆逮到你偷偷用她的孕妇枕头，她可不会听你如此这般的解释。

这可是真正意义上的“跟老婆一起怀孕”了。

倒计时开始 孕期：33~36 周

这个阶段，胎儿应该不是特别能折腾了，一般会头朝下躺在老婆的子宫里。现在胎儿可能已经准备好要出生了（下降到老婆的骨盆位置）。胎儿现在体重约 2.5 公斤，每天会长 15 克左右，身长会长到 53 厘米。到 36 周的时候，胎儿会对外界的光照和声响十分敏感。宝宝迫不及待要出来了，而你的老婆最近也肯定总是念叨着“烦死了”“赶紧生了算了”之类的话。

即使你的宝宝尚未出生，也肯定是近期的事情了。（如果宝宝已经出生，你可以直接跳到第九章，通过阅读，证明你自己是个博学而且不可多得的好老公。）最后的这几周，你的大部分时间应该都花在了为未来几个月所做的必要采购上；还有在家里做些最后的布置，以便宝宝驾到时更加舒适；还有可能要回答老婆关于你在生育计划中的任务的提问。在此期间，你和老婆有一件十分值得花心思去做的事情，那就是查询一下，看看你们能申请到哪些孕期补助，能享受到何种权利。

1. 孕妇能享受哪些补助和福利?

女性在怀孕期间有哪些补助，这跟工作单位和所在地区影响很大，所以你们一定要先打听清楚。

至于孕期和哺乳期的工资则需要咨询单位人力资源部门。目前，国家规定是，产假期间，一切待遇不变。另外，女员工在孕期、产期和哺乳期，用人单位无合法理由不得辞退员工。老婆的雇主可能会提供更多的产假薪酬，不过她需要在休产假之前同人力资源部门协商。

老婆开始休产假后，可能会非常焦虑，你对此要有心理准备。这不仅是因为她告别了平时的生活习惯，而且是因为她担心休完产假之后，自己不一定还能回公司上班。据英国种族平等及人权委员会 2009 年 6 月的一份报告称，越来越多的女性在产假期间被非法辞退。

你知道吗？

育儿成本一瞥

美国运通公司（American Express）进行了一项问卷调查——一对夫妇从孕期到宝宝一岁期间的平均花销：

项目	花费
孕妇服装及化妆品	177 英镑
婴儿房家具、装修、婴儿床和床上用品	410 英镑
婴儿车	233 英镑
儿童汽车安全座椅	79 英镑
尿布	500 英镑
婴儿护肤品	380 英镑
配方奶粉	600 英镑
食品	360 英镑
婴儿衣物	280 英镑
总计：	3019 英镑

准爸爸经验之谈

做出调整

“至今，至少对我来说，还不是很艰难。但是有很多事情需要耐心和调整：首先是劳累，现在是孕晚期，需要开始精打细算，为以后只有一人赚钱做好准备，还有现在的性生活也非常少。”

——查理

准爸爸答疑

筑巢本能

在孕期的最后几个月里，你的老婆会开始“筑巢”，这时候她会患上洗衣、打扫“强迫症”。像贪食和孕吐一样，有些孕妇的筑巢行为会比其他孕妇更加明显。当然，筑巢这个词，就其本意来讲，仅仅是指打扫房子，为宝宝驾到做最后的准备。但是，由于你的老婆现在走起路来晃晃悠悠，像一头喘着粗气的大奶牛，她肯定会命令你去完成一些艰巨的任务。

把周末或者晚上的时间空出来，以便帮助老婆操持家务，而且也得留出时间来组装婴儿房的家具。很多新爸爸都表示，安装扁平封装的婴儿床或者“方便安装”整理台可能需要一小时，也可能需要整个周末。要有心理准备，在老婆分娩前的一段时间，你可能会因为这类事情牺牲一些打高尔夫的休闲时间。

2. “待产包”都有什么?

把这页的左下角折一下，或者在这页放一个书签。下面要介绍一些“待产包”必备品——如果老婆去医院分娩的话，这些东西将是她和新生儿所需要的。一般来说，老婆往往会在肚子隆起的时候就把这个“待产包”装好，可以随时带走使用了。一些性急的准妈妈在刚怀孕一周的时候就已经准备好了。如果当时没有准备，那么在孕晚期，也就是老婆的“筑巢期”，她一定会开始准备。但是如果她突然早产，而没来得及准备，或者是因为在荷尔蒙、压力和食欲的多重作用下，使得她比平时健忘，那么你就得在家里“东奔西跑”，收集以下东西：

晚装

带一件睡衣，加一件过时的宽大 T 恤，或者带一件睡裙，加一件老婆专门为分娩买的便袍（不是印着小布娃娃的那件，因为这是过去 5 个月以来她一直都套不上的，尽管你很想看她这么穿）。

生产计划

好吧，也许你现在还能把生产计划的内容倒背如流，比你的名字、生日还有密码记得还清楚，但是老婆临产的时候就未必了。最好再复印一份，以便你俩把一些临时的想法记下来。也许产房的医护人员看了你们的生产计划会哈哈大笑，也许产科医生会否决上面的所有想法，但是至少手里要有一份，而且保证老婆分娩的时候看到你手里有。如果老婆在分娩的开头就发现你没有带生产计划，可能会使她更加有压力。如果这样，整个过程对她、对你都会更加艰难。

梳子、牙具、发带

祈祷你的老婆早就把这类东西装到一个洗浴包里吧，因为你肯定会弄错的，比如把发绳当成发带。如果她还没有，那你就凭感觉装吧：洗发水、卫生巾、香皂和化妆品。如果缺了东西，也不要惊慌，在医院或者医院附近都能买到。

iPod 或者 CD 机

机器里面最好放着她挑好的“待产”音乐。这么做是为了让她放松，别想着利用这样的机会让她接受你喜欢的曲风。准备好备用电池或者整个孕期都保持 iPod 电量充足。还有任何她想看的杂志、报纸以及能让她平静的东西都装到包里。

孕妇胸罩或者哺乳胸罩

希望你还记得这种胸罩长什么样子，老婆第一次买回家的时候，你还嘲笑她来着。还要记得带些换洗的内衣。放心，这时候她肯定想穿“大肥裤衩”，而不是丁字裤。

棉拖鞋

或者是舒服的鞋子。孕妇除了要无数遍地去洗手间之外，她在临产的大部分时间都要站着，利用重力使胎儿下降到产道。医院的地面又脏又冷，所以要给老婆准备一双舒服的棉鞋，她会感谢你的。

镜子和小电扇

镜子是为了让她能够看到“下面”发生的情况。你到时候要在产床的另一侧端着镜子，以便老婆能够看到宝宝的头出来的那一刻。小电扇（用电池的手持型小电扇）是为了让她在分娩的时候能够感觉凉快些。

小点心

一些提供能量并且可以填饱肚子的食物。带些瓶装水和红葡萄汁，因为葡萄糖能够缓解产妇的疲劳感。提供能量的运动饮料、充饥的脆薄饼以及其他任何她能用来安慰心情的食物，巧克力是个不错的选择。

婴儿用品

嗯，这是必须的。新生儿的型号纸尿裤、毛毯、连体衣、马甲、浴巾、抱被、小帽子和小袜子。这些东西在过去的几个月里她或者你都有可能已经唠叨很久了。

用一个提包把所有的上述物品都装进去，最好用那个印着花儿的“待产包”——她几个月前专门买的，还在你面前晃了半天——想起来了吧？

3. 我自己应该带些什么东西呢？

下面列出的是你时间仓促时所需要的东西：

- **现金**：一些零钱，用于交医院停车费或者在贩卖机买饮料。不能用手机，或者手机没信号、没电的时候，有可能你还需要打公用电话。如果你或者老婆忘记带食物或者一些洗漱用品，带些现金也方便购买。
- **住院材料**：事先问清楚办理住院手续费需要哪些材料。
- **零食**：你自己也要带些零食，因为这个时候，如果你胆敢动老婆的食物，她肯定跟你急。
- **牙刷、除臭剂和换洗的T恤**：医院一般都很热，而且老婆分娩时一惊一乍，加上你得在各个部门间奔走，往往会因此出一身臭汗。
- **相机、摄像机、杂志或者掌上游戏机**：如果你想录制老婆分娩的过程或者至少拍几张照片的话，相机和摄像机是必备的。还要备好电池，保证机器电量充足。老婆休息的时候，游戏机或者杂志能够让你有事情做，可以稍微分散一下注意力。

准爸爸答疑

关于止痛药剂的选用

在分娩之前，或者是讨论生产计划的时候，你们需要讨论好老婆分娩时使用哪种止痛药剂，或者是否使用止痛药剂。产科医生帕特里克·欧布莱恩指出，不同产妇在怀孕时的痛感是不一样的。尽管有很多产妇在进产房之前还信誓旦旦地表示不用任何止痛药，但是分娩时疼痛会加剧，分娩过程中她们对疼痛的抵抗力也会下降。所以，如果老婆在分娩时疼得要用止痛药剂的时候，你千万别火上浇油："亲爱的，生产计划上咱可没说要用止痛药啊？"

4. 怎么选择止痛药剂？

跟你的老婆讨论一下各种类型的止痛药剂（参见第九章），并且让老婆跟医生护士进行沟通，以了解使用各种止痛药剂的利弊。现在这个阶段，她很容易被各种过来人的恐怖说法所吓倒。如果她给你讲从其他妈妈们那里听来的故事，你要鼓励她听取权威人士的准确解释。提醒老婆，分娩的过程可不是什么电视真人秀里的挑战（谁能在不获得帮助的情况下，坚持最久就是胜利），据称分娩时的疼痛是人类痛感中最强烈的一级。每个过来人都会有自己的意见，也许这个止痛药对她有用，另一个止痛药就没用。但是，终究是老婆自己生孩子，所以你需要打消她的疑虑，支持她做出的选择。

你知道吗？

那些了解老婆疼痛的爸爸……

牛津大学出版社的一项研究发现，如果产妇的丈夫了解处理产妇疼痛的各种方法，那么这位产妇的分娩时间就会相对较短，剖腹产的可能性也比较低。

我需要用什么药吗？

不需要，一旦你阅读了药物说明，你就明白为什么了。但是还是有很多准爸爸忍不住想试试：

- **麻醉混合气体：**也叫“笑气”。但是医护人员逮到你偷偷玩笑气，你肯定就笑不出来了。
- **经皮神经电刺激疗法（TENS）：**对于很多是机械迷的准爸爸们来说，这种仪器太具有诱惑性了。但是如果用后产生了任何类似科学怪人的副作用，你可别起诉生产厂家。
- **杜冷丁：免谈。**
- **硬膜外麻醉：绝对不行。**

准爸爸答疑

无眠之夜……接着还是无眠之夜

从孕中期开始，然后贯穿孕晚期始终，老婆会出现打鼾的现象（动静大得地震仪都会有读数）。打鼾的时候往往还伴有“呼吸暂停”，这是指她在打鼾的过程中，短时间内停止呼吸。这是由于胎儿在挤压老婆的隔膜（控制胸腔和肺部运动的肌肉）。她会因此辗转反侧，并且喜欢在肚子下面垫一个枕头；她还会不断起夜。你的睡眠可能也会因此被惊扰，“抢鲜”体验未来几个月的无眠之夜。

准爸爸经验之谈

最后的倒计时

“宝宝还有5周多就要出生了，但是我还是感到那么不真实。我们马上就有宝宝了。我知道生孩子不是一件容易的事情，不过我还是无法完全理解我和梅尔即将面对的这件事。就要当爸爸了，这让我非常兴奋——看看我和梅尔的结晶长什么样子；教他/她各种体育活动；跟他/她玩幼稚的游戏；教育他/她如何生活。当然我们也要尽量给孩子一些自由发展的空间，成为其乐融融的一家人……”

——马修

“萨拉马上就要生了，希望到时候母婴都能平安。我真不愿意看到萨拉经历那样的痛苦。我知道我们最终会老去，这是自然规律，而且我觉得我感到担心也是很自然的事情。因为我对小孩没有任何经验，所以想起到时候要第一次抱起宝宝，我有些紧张。我在产前培训班里抱过道具娃娃，不过抱真宝宝的感觉应该不一样吧！我很盼望我们一家三口的时光，希望能多花些时间跟宝宝在一起。”

——查理

“在老婆怀孕期间，我特别想多帮老婆做些家务事，多照顾她，但是我不得不工作更长的时间，这是我最不喜欢的一点。我觉得自己没有花足够的时间陪老婆。现在我一周打扫一次家——原来是我们两人轮流打扫。我尽量买健康食品，每天对着老婆和胎儿大声朗诵一个故事。显然，我没能给老婆做足够的按摩。”

——保罗

5. 准爸爸如何缓解压力?

信不信由你，在这个阶段，不只是你，很多准爸爸都特别想撂挑子不干，甚至干脆离家出走。随着老婆分娩的临近，准爸爸需要面对大量的任务，所以此时准爸爸突然感到自尊心受挫也是可以理解的。心理学家拉塞尔·赫恩说，这是因为准爸爸所面对的事情让他无法想象，他也不知道该如何处理。

一些准爸爸经常会在老婆怀孕期间质疑自己。据赫恩称，一些准爸爸会时常想象父亲所应有的形象，并且会对自己设定一定的期望值。如果他们脑中有一个完美无缺、事事精通的父亲形象，那么他们很可能对自己持否定态度。这样，准爸爸就很可能会对自己产生消极的看法和情绪，最终导致压力过大和自我怀疑。

赫恩建议你同老婆进行沟通，说说自己对当父亲的看法；说说你认为父亲应该是怎样的一个人；你想怎么做，你能做到什么。没有人能成为一个完美无缺的爸爸，但是我们都要争做称职的爸爸。称职的爸爸要保证孩子的安全、健康，并且给孩子提供足够的基础，让孩子创造自己的未来。

准备卸货 孕期：37~40 周

在这个阶段，胎儿就像一名日本相扑选手一样，一个劲儿地增重。如果胎位正常的话大约每周会增重 0.2 公斤，等到胎儿离开子宫头朝下进入产道时，体重会达到 2.5~4 公斤，女宝宝一般会比男宝宝体重要轻些。以上的数据只是平均值，一些宝宝可能会更轻，一些宝宝可能会更重！如果怀着双胞胎或者三胞胎，你可别指望那个数据是几个宝宝体重的总和。胎儿现在身长大约 50 厘米。这时，母体内的空间就比较紧张了，所以胎儿不会再拳打脚踢，而是在子宫里“蠕动”“长膘”。此时胎儿已经有视觉、听觉、味觉、嗅觉和触觉了。

1. 担心生下不健康的宝宝，这正常吗?

整个妊娠期间，你和老婆一定都在担心宝宝的健康问题——尽管你们不会谈论这个话题，唯恐让对方感到不安。放心，你不是一个人！心理学家认为，准父母的这种反应来源于误解和偏见。诚然，有些宝宝生下来确实会有些小问题，这些有时也无法避免，但是出问题的几率却是非常低的。如果你不想因为这些问题让她感到更多的心理负担，你可以跟医学人士倾诉你的担忧，并且了解一下宝宝的健康风险。然后，你可以把宝宝的健康风险同你日常生活中的风险做比较。赫恩称，在你了解了宝宝的健康风险后，会发现你遭遇交通事故的几率要远高于宝宝有出生缺陷的几率。

赫恩自己也承认，像其他准爸爸一样，他当时也害怕自己的宝宝患有唐氏综合症。后来他发现，他真正担心的不完全是宝宝或者老婆，而是更多出于私心，即如果宝宝真的有缺陷，他该怎么办。这种心理是很常见的。但是，这种事情不在你自己的掌控范围之内，你也无法提前有所计划。

2. 生孩子时的镇痛方法有哪些?

生孩子是人类繁衍生息的自然过程，但这种由子宫收缩和紧张恐惧心理引起的分娩疼痛，对于大多数产妇尤其是初产妇而言是极其痛苦的。在医学疼痛指数中，分娩疼痛位居第二位，应该说它是大多数女性一生中经历的最疼痛的事情。好在，随着医学的发展，目前已经有比较成熟的分娩镇痛方法。

90%的初产妇都会使用某种止痛方法。主要有：

经皮神经电刺激治疗仪

许多准爸爸在预产期之前，会练习给老婆连接这个治疗仪，但是一旦他们在产房里真的使用过这个机器后，就会觉得之前根本就没有必要练习。这个仪器的设计目的是减轻产妇在分娩初期时的疼痛，由于其效果很轻微，所以大家对它好评不多。经皮神经电刺激治疗仪的工作原理是利用它的电子元件，通过黏在产妇背部的四根导线，释放电脉冲。

仪器释放的电荷能够刺激产妇的身体产生止痛的激素——安多芬，从而减轻宫缩带来的疼痛。由于这是一个电子设备，所以在需要监测胎儿心跳的时候，还得把它取下来。

由于产妇的疼痛感会时强时弱，而且还会转移部位，所以产妇可以通过仪器上的旋钮来调节电脉冲的强度。然而，这个仪器对一些人具有止痛效果，而对有些人而言却完全无效。很多时候，她们刚把导线黏到身上没几分钟就拔下来了；但是另一些准妈妈却说在分娩的初期，仪器确实有一定效果。

你可以自己购买一台，也可以通过当地医院或者一些网站的实体店租一台。

如果你在 Boots 医药专卖店预租了一台治疗仪，仪器会在孕期第 37 周送达。在用完之后，可以用专卖店提供的预付费信封把仪器寄回去（你的任务是不要把仪器忘在产房!）。如果宝宝晚产，你可以免费再用两周。

在老婆进入产房之前，要练习一下怎么把导线黏到她身上。千万记得，任何情况下，都不能在分娩池中使用经皮神经电刺激治疗仪。

麻醉混合气体（笑气）

这种气体是由 50% 的氧气和 50% 的氧化亚氮混合而成。产妇通过面罩吸入笑气，这有些像电影《蓝丝绒》里，丹尼斯 · 霍柏头戴面罩的样子。笑气一般由医院的中央管道供给（如果在家中分娩的话，会由钢瓶供给）。像经皮神经电刺激治疗仪一样，吸入笑气后需要一会儿才会起效，但是 4/5 的产妇在分娩过程中会感到笑气的止痛效果。

笑气在止痛的同时不会使产妇产生麻醉的快感。有规律地吸入笑气会使得产妇放松，但是又不会让产妇失去对身体的控制。有些产妇会感到轻微的恶心或者头晕，但是使用笑气不会对产妇和胎儿造成任何伤害。

哌替啶（杜冷丁）

这种药物的作用机理同吗啡相似。在产妇的腹部进行肌肉注射（当然是在产妇的要求之下），药物通过麻痹神经达到让产妇放松的目的。药物会使得产妇在分娩过程中有一些“轻飘飘”的感觉，无法完全控制自己的身体。如果分娩时间过长，这种药物的止痛效果会非常明显。不过，医护人员一般不愿意把时间拖得太长，所以如果产妇快要完成分娩，他们不会给产妇注射哌替啶。因为药物会减缓分娩过程，让医护人员不耐烦，而且哌替啶会通过胎盘进入胎儿体内，使胎儿变得昏昏欲睡。用药后，新生儿出生时会显得有些“木讷”，而且呼吸频率和进食频率都低于正常水平。如果发生这种情况，医生还得给新生儿注射另一种药物，来逆转哌替啶的药效。

硬膜外麻醉

数据说明一切。95% 的产妇使用硬膜外麻醉后在分娩过程中不会感到任何疼痛。据 2009 年的一份报告中显示，60% 的初产妇选择硬膜外麻醉。为什么这种方法如此受欢迎呢？这种麻醉剂的作用机理是麻痹脊髓同子宫之间的神经，所以在缓解分娩疼痛上，效果十分明显。如果是我们男人生孩子的话，毋庸置疑，这绝对是必选的麻醉剂。

硬膜外麻醉是一种局部麻醉，需要将麻醉剂精确地注射在脊椎基部的一个脊椎间隙中。所以这是一个非常专业的任务；而且这种“神射手”医师如今很吃香。不过这种麻醉法也有缺点，它比较难以注射——产妇可能会因为剧烈的宫缩而痛苦地扭动。硬膜外麻醉需要 30 分钟才能起效，而且如果分娩过程过长，还得增加剂量，这会使得产妇更加难以在宫缩时用力。尽管硬膜外麻醉对产妇和宝宝来说都非常安全，但还是有很小的风险，这包括：产妇血压降低（需要打增压药）；小便失禁（不管是否麻醉都有可能出现）；在分娩后一周内，产妇会有 1/200 的几率出现重度头痛。目前，硬膜外麻醉在国内主要在剖宫产手术中使用。

准爸爸答疑

硬膜外麻醉的风险

只要一提到针管和脊髓，人们就会感到不安，但是准妈妈由于硬膜外麻醉而出现严重伤害的情况十分罕见。巴斯皇家联合医院的研究人员发现，因接受硬膜外麻醉而出现永久性伤害的几率低于1/80000，并且有可能低于1/300000。

水中分娩法

1/10的产妇倾向于水中分娩，因为水中分娩本身就是一种天然的止痛方式。不管在医院还是在家里，分娩池中温暖的水都会让产妇的肌肉放松，水还能托住产妇的身体。

催眠分娩法

一些准妈妈在分娩之前参加了一些催眠课程或者在产前学习班学习了一些呼吸技巧。她们希望通过这些方法达到自然分娩的目的。

无论你的老婆选择哪种分娩和止痛方式，你都可以在分娩过程中帮助她。你要鼓励她，让她把注意力集中在呼吸上，这样能够稍微转移她对疼痛的注意力。这是你力所能及的事情。

产前呼吸练习

不要只是站在一边指挥她呼吸，你也需要一起跟她运用呼吸技巧。在老婆分娩前，同她一起练习呼吸技巧。这个技巧很简单，就是用鼻子深吸气，然后用嘴巴深呼气。练习的时候要注意把握深呼吸的节奏。尽管在家练习深呼吸有些奇怪，但是老婆分娩的时候，这个简单的动作不仅可以让她有掌控感，而且当她看到你在旁边竭尽全力地支持她时，也会感到宽慰。

3. 准爸爸的陪伴也是一种镇痛方法?

尽管你没法给临产的老婆打止痛针，可以是你还是能够通过一些技巧帮助她度过分娩过程，要知道，你的陪伴是一种极大的心理安慰，是一种有效的镇痛方法。

- **按摩：** 在分娩的初期，你可以用力按压她认为需要的地方——说一些安慰的话语，这样能够使她的身体释放“感觉良好”的激素，也就是安多芬。此时进行一些指压疗法也是非常有用的。提前练习一下背部按摩的技巧，还要准备好随时匍匐在地上，因为她可能想要跪下来进行休息，有可能还会跪在你身上摇来晃去。
- **拥抱：** 抱抱老婆，告诉她一切都会好起来的，你会一直陪在她身边。这样可以缓解你们两人的焦虑。但是要注意，这个方法开始还能起效，一旦她进入“指定区域”，她可能不希望任何人碰她。不过这不是针对你的，她会集中注意力，赶紧完成分娩，把宝宝生下来。
- **降温：** 带一瓶冰水，或者保证老婆能一直喝到冰水。
- **训练：** 鼓励她呻吟、呜咽或者尖叫——只要她觉得能减轻疼痛就行。不要觉得你在浪费时间。研究显示，产妇分娩过程中有人在身边不断支持鼓劲的话，她能够更快、更顺利地完成分娩。

分娩的过程中会出现血。要做好心理准备，你还可以通过喝水和吃零食来保持良好的状态（别忘了给老婆也吃点）。如果你觉得自己快要晕倒了（男性在老婆分娩时晕倒并不多见），不要担心。你要尽量赶紧恢复过来，因为你还有任务。坦白地讲，产科医生什么情况都见过，已经见怪不怪了，而且在医院里晕倒，也不会有任何人嘲笑你。

4. 除了等，我们还能做什么？

毋庸置疑，整个妊娠期的最后几周都是会令人感到沮丧的时刻。你的耐心已经快要消磨殆尽；手机也快要崩溃，因为老婆会因为感到焦虑或出现假宫缩而不断联系你，或者亲友们出于好意，会打电话来问情况。

- 可以把你的语音信箱留言改成：“还没有要出生的迹象，等宝宝‘一露头’我就通知你。”当然语气不必这么自嘲。
- 利用这段时间多“演习”几次，比如你和老婆的呼吸练习或者“第500遍”仔细检查待产包。
- 把一些用得上的电话号码输到手机中。比如医院、花店还有你到时候将要通知这好消息的亲友等等。
- 为预产期做些准备。我知道这听起来有些奇怪，但是很少有头胎的宝宝在预产期当天降生。所以，如果预产期当天精神十分亢奋，可是宝宝却没有出生，你最好提前安排一些朋友一起过来平抚一下失落感。
- 不要醉酒。因为你需要开车送老婆去医院——可能是最后一个月里的任何时候，可能是白天，也可能是黑夜——所以你需要滴酒不沾。

5. 老婆分娩，我真的准备好了吗?

不仅仅是老婆一个人会在怀孕的最后一个阶段感到惊慌失措。一旦你真切地意识到你将为人父，并且开始在百货大楼那些你从不光临的区域购物，你就会开始担心，不知道如何度过最后的“关键时刻”。据拉塞尔·赫恩称，焦虑是我们自己想象的产物。他说，要知道，准爸爸对一些事情考虑的越多，他就会越害怕。这种担忧随着“关键时刻”的迫近，会像雪球一样越滚越大。他建议有焦虑感的准爸爸可以试一下这个小练习：心里想一个小状况，然后说，“如果（不好的状况）发生了怎么办?”接着不断地在心里重复这句话。一般来说，在重复了几次之后，你就会感到这个小状况是一个大问题。

此时，换成另一句话“发生了又能怎样?”比如，你害怕自己在老婆分娩的过程中精神崩溃或者晕倒，试着问自己：“发生了又能怎样?”

如果你此时感到焦虑，最好拿起电话联系你在产前培训班里认识的其他准爸爸，他们说不定也有着相同的体会，或者联系一些过来人（说不定效果更好）。

准爸爸们在宝宝出生前会有非常相似的顾虑（准妈妈们也是如此），包括：

- 宝宝健康吗?
- 如果老婆疼得厉害，我该怎么办?
- 老婆分娩的时候，我该做什么?

梅尔文·登斯塔尔建议，准爸爸可以同医生或护士或其它医学专家进行沟通，了解宝宝的健康状况。向他们诉说你的担忧，然后尽力了解事情的全貌，克服这些担忧。所以，要阅读相关书籍，参加产前培训班并且积极提问。在老婆的分娩过程中，你需要集中注意力、保持警惕，做一些力所能及的事情提前获得相关知识，能够让这个过程更加顺利。你要接受这样一个现实，就是虽然你无法通过这些事情来减轻老婆的痛苦，但是你所做的一切能够让老婆感到安心和宽慰。

6. 老婆分娩时我要一直守在边上吗?

只要你没晕倒，你当然要一直守在你老婆边上了。如果她需要进行剖腹产，你会被要求签署手术知情同意书。如果医院允许陪同的话，你还会按要求进行“手臂消毒”，并且穿上医用防护服。但是，如果分娩过程出现重大问题，你可能会被要求离开产房。除此之外，你都可以待在她身边照顾她，但注意不要妨碍到医护人员。有些时候，分娩过程长达10小时、20小时，甚至更长，你要有心理准备。如果产妇正在休息，你可以去呼吸一下新鲜空气，给亲友打电话报告一下最新进展，或者仅仅去休息一下，让自己更加清醒。如果你需要回家拿东西或者安排一些事情，你可以告知护士或者产科医生，请他们在必要的时候给你打电话，你好及时赶回医院。

7. 还有谁会在分娩的现场?

如果老婆在医院分娩，那么在场的应该是产科医生和助产士；如果分娩过程过长的话，可能会有好多个产科医生轮班。

在医院临产的时候，只要一切还比较顺利的话，一旦你老婆宫缩开始加剧，你可能是唯一能一直守在她身边安慰她的人。巡房的产科医生会时不时过来查看情况。

医院的产科医生可能不是你老婆上次接受检查时遇到的那位。不同产科医生的处理方式不同，甚至他们给你的指令也会互相矛盾，所以你要做好心理准备。要及时跟产科医生沟通，告诉他们你老婆的担忧。不要害怕提问，要及时了解情况，也可以要求院方满足你老婆的需求，比如提供水或者零食。

关键是要避免你老婆的压力过大，最好能够尽量做到贴近你们的生产计划。有任何疑问，要主动提出来。但是要注意的是，你们可能不是医院当天唯一临产的夫妇。分娩是一个很长而且极端无聊的过程，当你对事情失去掌控感时，会非常容易感到沮丧。

记清楚你的任务。你在医院的任务就是陪着她，并且尽可能让整个过程进行得更加顺利，但不要过于急躁。如果医护人员的态度恶劣，你可以记住他们的名字和事件发生的时间，等一切都安顿好了再处理。

等到老婆开始用力生产的时候，你会发现产床附近的空间变得越来越拥挤。下面列出的是你可能会见到的“出场演员”：

妇科医生

妇科医生是专门负责孕妇和胎儿的专科医生。他们到时候可能会进产房跟你们打个招呼；也可能完全忽视你和老婆；或者是对她的肚子表现出极大的“兴趣”，这会让人十分不安。如果出现最后这种情况，很有可能是因为老婆的怀孕或者分娩出现了一些复杂状况。

麻醉师

如果你的老婆需要进行硬膜外麻醉，麻醉师就是实施麻醉的医护人员。硬膜外麻醉是一个技术活——针头必须精确地扎入她背部腰椎部位的硬膜外区域。你的老婆这个时候应该十分憔悴，因为她可能已经进入分娩几个小时了，而且疼痛感已经达到了顶峰，她可能会因为遭这番罪而感到非常愤怒。你应该尽力安慰她，让她尽量保持平静，以便让麻醉师实施麻醉。麻醉师在压力之下也往往能保持冷静。所以事后，一定不要忘了给他/她寄一张大大的感谢卡，或者请他/她喝一大杯。

产科医生

在你老婆分娩的过程中，身边的医护人员就像是旋转门一样来来回回，还会把医用器械搬到另一位准妈妈那里，比如胎儿心跳监测器，即连续胎心宫缩监护仪（CTG）。除了 CTG 监护仪，你还有可能看到另一种长得像手推车一样的医用器械。等宝宝就要降生的时候，这个器械会被推进产房。器械的顶部有一个加热器，在齐腰的高度还有一个平台。宝宝一降生，产科医生或者儿科医生就会把宝宝放到平台上，然后做一些快速的检查，清除宝宝口腔和鼻腔的粘液，如果必要的话还会给宝宝输氧，以激发宝宝的呼吸系统。

儿科医生

专门负责新生儿和患儿的专科医生。不过不要因为他们的出现而感到不安，他们的职责就是检查所有的新生儿，然后家长才能把宝宝带回家（不过，如今检查新生儿的任务往往都交给了产科医生，只有出现什么状况的时候才会叫儿科医生）。

医学专业学生

他们迟早都要实习。你坐在临产病房里，陪着又痛又累的老婆。一个医学专业的学生可能正好等在那里，准备进行观摩。这些实习的学生虽然不起什么作用，但可以帮你递递水；向你投以同情的微笑。

8. 怎样才能保证老婆分娩的时候我一定在场？

除非你老婆已经预订好剖腹产的时间，否则你无法绝对保证不错过同宝宝的第一次约会。不过，只要你真的想在宝宝出生的时候在场，你一定能做到的。

这是因为产妇的分娩过程一般都会持续几个小时，所以你有充分的时间从公司或者酒吧赶到医院，来见证宝宝出生的时刻（不过到了医院可别跟她说你刚才还在酒吧）。

为了保险起见，记得要做以下的事情：

接听所有的电话

即使来电显示是工作单位，你也要接听。可能你和老婆已经商量好，一旦老婆临产，就用手机给你打电话。但是计划赶不上变化，有可能她疼痛剧烈，无法给你打电话；也有可能旁人用他自己的手机替她给你打电话。

把日程表清空

你现在要习惯牺牲一些自己的社交活动，反正以后有的是时间。你可以把手头的赛季套票让给自己的哥们用几周；或者尽量不去观看客场比赛。同公司沟通一下，在未来几周尽量不要出差（只要你不是飞行员，基本上都是可以协调的）。

记住医院和医生电话

有紧急情况一定要给医院和医生打电话。

准备足够的零钱

在老婆临产的时候，如果你准备开车送她去医院，一定要提前了解清楚医院停车场的相关情况。最好在产前学习班的时候或者在参观产房的时候，就了解清楚。

给家里打电话

你应该经常给家里打电话询问老婆的情况。如果你在某段时间没法接电话的话，提前告诉她，以免她因为无法联系到你而着急。

别醉酒

显然的事情。

准爸爸经验之谈

坐等宝宝降生

“老婆妊娠期的最后几周对于我们两人来说都非常艰难。我们常有拌嘴，而我除了上班，还得操持家务。我开始担心事情不能顺利进行。她的背部开始出现疼痛，但是她并不抱怨，而是默默承受。我给她找了一个枕头让她垫在肚子下面，让她舒服一些。我还会帮她按摩背部。我无法使得整个过程加快，这种无能为力的感觉让我感觉很糟。”

——保罗

9. 食物或者性生活能使得宝宝早点降生吗?

理论上讲是可以的。最合理的解释是，又热又辣的食物会刺激肠道蠕动，推动子宫，从而可能会引起分娩。对乳头进行刺激（自然是老婆的乳头）据说能够激发产妇体内的催产素，从而促进分娩。你可以自己考虑想要尝试哪种方法。

准爸爸答疑

胎动

你老婆可能现在刚刚适应宝宝每天时不时踢她的肚子，可是宝宝却跟她玩起了一些小把戏，尽管不是宝宝有意为之，可是却让人着实担心。其中一个小把戏就是保持“一动不动”。一般在妊娠期的最后几周里，由于子宫内的空间越来越小，胎儿无法大幅度地活动。据帕特里克·欧布莱恩称，当老婆认为宝宝不动弹是出问题的表现时，往往会引起担心。大多数准妈妈在怀孕20周后每天都能感受到10次左右胎动（次数因人而异）；如果准妈妈没有专门留意的话，她有可能不会注意到宝宝在子宫里翻跟头。欧布莱恩的建议是，让准妈妈躺下，把手放到肚子上去感受。如果胎儿四周的羊水比较多，他/她的动静就更难以觉察了。这样跟老婆解释，可以让她安心。如果她还是非常担心，你可以联系她的产科医生或者医院。在老婆接受检查的时候，记得握着她的手。

10. 我怎么知道老婆要临产了？

如果胎儿在母体里待烦了，想要出来了，你是可以看出迹象的。这就是所谓的临产预兆。

你的老婆可能已经感受过这些预兆，但是对你来说，还是挺震惊的事情。不管怎样，不要惊慌失措，你的老婆只想在几十个小时之后听到宝宝一个人的哭声，而不是你现在的哭声。要知道，真正分娩还得有段时间（至少在你送老婆到医院之后，你当然也希望这样）。

当然，你也有可能是虚惊一场。要有耐心，如果你是“第500次”着急地冲到医院，发现老婆只是假宫缩，也不要责怪老婆：“下次喊狼来了，就没人救你了。”

宝宝“上膛”

现在胎儿就像“上膛的子弹”，已经抵达了盆腔，准备“穿膛而出了”。对于很多生头胎的准妈妈来说，这种现象十分突出，在分娩前的一周左右，胎儿就已经下降到了盆腔。准妈妈的膀胱由于受到胎儿的挤压，她不得不更加频繁地如厕。

冲向洗手间

在分娩前几天，产妇体内会分泌前列腺素，这可能会导致产妇在分娩前突然发生腹泻。你发现老婆的这种情况之后可能也会因为“心有灵犀”而发生腹泻。

见红

当然不像电影里那样“血溅四方”，但是产妇还是可能会流很多的血。产妇的宫颈会产生黏液，然后伴着血液从产道留出。这种场景你肯定不愿意看到，但是见红却是老婆分娩的前奏。如果仅仅这样的描述你就感到有些受不了的话，那么下一章内容肯定会让你更加纠结。孕妇见红之后，并不需要马上去医院，应该等到出现规律性宫缩之后再去。

越来越强烈的宫缩

在妊娠期的最后几周，假宫缩会越来越强烈。老婆会误以为这是即将分娩时的宫缩，因为假宫缩会变成真宫缩。

假宫缩会变得越来越频繁，越来越有规律，持续时间也越来越长。你老婆可以通过走路来缓解假宫缩的症状，一旦出现真宫缩，她能够感受出不同。真宫缩的感觉有些像痛经，并且伴有腰部刺痛感。如果临产的话，孕妇的宫缩每次会持续 30 秒或者 30 秒以上。此时，如果你在场，肯定会手忙脚乱地拿着秒表计时，不过此时，她肯定会明确表示自己肯定是要临产了。她会持续不断地变着花样咒骂你，直到宝宝生下来才罢休。

破水

如果至今为止你对生孩子的了解仅限于电视剧中的情节，你也知道“破水，即羊水破裂”是个很重要的时刻。破水是说产妇体内裹着羊水的羊膜发生破裂，你们会发现有液体“喷涌而出”，不过，也不是所有产妇都会这样。或者，产妇会发现羊水发生“泄漏”，下体流出透明或粉红色的液体。尽管胎儿不会有事，但是羊水破裂说明事情肯定正在向前发展。破水之后，孕妇就应该尽量躺下，避免向下使劲，并尽快去医院。

检查羊水

提醒一句。产科医生登斯塔尔建议，如果发现羊水呈绿色或黑色，一定要联系妇产科。发生这种情况的原因一般是因为胎儿在子宫内排便了，羊水是被胎粪（胎儿第一次排出的粪便）污染的。出现胎粪可能是胎儿宫内窘迫症的表现。

如果发生上述任何情况，你得取消晚上的酒吧聚会了。

“最后一搏”的礼物

这是你需要买的最后一项“必需品”，但是先不要让老婆知道，那就是奖励你老婆“最后一搏”的礼物，或者说是“妈妈的大礼包”。这是在老婆分娩之后送给她的礼物。可以是鲜花，或者珠宝，用以纪念这个时刻，也可以是她好久没有享受过的美食或饮料——巧克力、香槟、高度苹果酒。

准爸爸答疑

假宫缩

现在是孕妇的最后一个孕期，虽然可能性不大，可是宝宝随时都能降生——但是此时孕妇出现的宫缩属于假警报。假宫缩又叫“布拉克斯顿 · 希克斯收缩”，是 1872 年以发现它的医生的名字命名的。这一症状是在为产妇的身体做准备，以便进行“最后一搏”。在这个阶段，胎儿的发育速度非常快，老婆会越发感到疲劳——而且因为老婆夜里会感到十分不适，所以会更加缺觉，她婆还可能会出现牙龈出血、胃部烧灼、肠胃胀气、消化不良、动作迟钝以及肚脐和肛门突出。大概也就是这个时候，你应该正在酝酿“出逃计划”。但也正是这个时候，准爸爸应该担起责任，准备好，是时候证明自己比别的男人更“聪明好学”……因为，现在该上产前培训班了！

11. 临产前宫缩有哪些特点？

如果你老婆出现任意一个或几个上文中说的情况，你可以开始计算她宫缩的间隔时间，以判断是否应该送她去医院。不管是白天还是黑夜，你都可以给医院打电话。只要有产妇要分娩，产科的工作时间就不是“朝九晚五”。要尽早提前打电话通知医院，并且告知他们你老婆的临产状况，这样医院就能够做好准备。

如果医院认为产妇离分娩还早，无法为产妇在产科病房提供床位，医院会要求产妇先回家等着，这种情况很常见。你当然希望老婆能够在分娩的时候及时赶到医院，以免你自己动手接生。但是，为了避免被医院打发回家，还是先检查一下老婆是否出现以下情况吧：

- 老婆每次宫缩都能够持续 40 秒到一分钟时间吗？
- 老婆改变身体姿势或者下地走路也不能减轻疼痛感吗？
- 老婆在宫缩的时候是不是难以或者完全无法说话？

如果你对上述问题的答案都是肯定的，那么她绝对不是假宫缩。请马上给产科病房打电话，记得把产科病房的电话号码放在家用电话旁边，并且分别存入你们两人的手机中。

告诉医生你老婆每次宫缩的间隔是多长时间。如果间隔在 5 ~ 10 分钟之间，那么产科医生肯定会要求产妇来医院。

准爸爸经验之谈

老婆临产

“我当时用了一个网上购买的宫缩计时器——16个小时的时间里，老婆宫缩的间隔越来越小，第2天凌晨2点的时候（16小时之后），宫缩的间隔开始变长了——我们给医院打电话，医生说这是正常现象。但是我们又打了一次电话后，一位产科医生让我们先过去做个检查。我们到了以后，他们给老婆连上了胎儿监测器，发现胎儿的心率随着每次宫缩都在不断降低——我们真的着急了，也很庆幸我们及时来到了医院并接受了检查。等接受完了体内检查之后，老婆开始出现了非常剧烈的宫缩，她感到非常疼，身体发抖，不停地哭。真是太难为她了。”

——汤姆

宝宝出生

准备好了吗？终于要和宝宝见面了。

这个时候，你需要了解的概念首先是新生儿。新生儿，指的是胎儿娩出母体并自脐带结扎起，满 28 天的初生宝宝。一般来说，新生儿健康应具有十个方面的标准。

正常足月的新生儿，诞生时一般身长在 47~52 厘米之间，平均 50 厘米。男婴和女婴无明显差别。正常足月儿的出生体重平均为 3kg 左右。

准爸爸答疑

产程

产程是指，孕妇生产分娩的全过程。在分娩的过程中，胎儿会蜷起身子，向下推进，挤出子宫的开口（这个开口叫做宫颈）。整个产程被分为三个阶段。

第一个阶段被白大褂们称作“潜伏期”。在这个时期，宫缩已经开始，但是子宫的开口还没有张开（准确的说是开口小于4 厘米，也就我们常说的 4 指）。

一旦宫颈张开 4 厘米以上，产科医生便开始计时，因为此时产妇进入了“主动”分娩阶段，这是活跃期。宫缩会使得宫颈开口变宽（用产科医生的话是“张开”），直到开口张开到大约 10 厘米，也就是 10 指全开——此时，产妇会不由自主地开始用力。这是第一产程。

然而，有时候产妇需要一些助产手段，如产钳助产或真空吸引器助产（见后文）。当然，你的老婆有可能会选择剖腹产。也有可能医生会建议她在顺产进行了数小时后采取剖腹产。如果此时医生认为胎儿面临宫内窘迫，那么剖腹产将是最好的选择。

从宫口全开到胎儿娩出，这是第二产程。宫口全开之后，胎盘会被收缩的子宫排出。这个过程在自然状态下需要一个小时，但是大多数情况下，产科医生会帮助进行处理。

产妇在宝宝分娩出之后就会接受注射，药剂会刺激子宫开始收缩。然后，产科医生会抽拉脐带，把胎盘和羊膜从产妇身体里取出来。这是第三产程。

1. 老婆分娩时只有我一个人在，怎么办?

你可能以为这种情况只有在电视剧里才会发生。这种情况是所有准爸爸的梦魇——但是，只要有了充分的知识储备，这没有什么可怕的。如果老婆开始分娩，而你无法马上送她去医院，也无法联系到产科医生来助产，那么你就得协助她分娩了。一般来说，这种事情发生在生头胎的准妈妈身上并不常见，但是确实有这样的例子。如果你和老婆真的“有幸”遇到了这种情况，不要急着到处喊人打热水，递毛巾。在这种情况下，产科医生梅尔文·登斯塔尔建议你做以下的事情：

- 如果发现宝宝即将出生，拨打 999 或 120，并且要求派急救车过来。告诉接线员你的老婆正在分娩，而且身边没有医护人员。这样，急救中心会以紧急事件处理。

- 打电话给医院的妇产科。一般妇产科都会派一位产科医生尽快赶到。如果你很担心，可以让产科医生跟你讲电话。你需要冷静地向产科医生描述老婆的情况。

- 让老婆躺在舒适的地方。拿一些毛巾和毯子垫在老婆身下的地板上。这些东西能够吸收羊水和血液。当然其他能吸水的东西也行。再额外准备几条毛巾，等宝宝出生以后用来擦拭和包裹。

- 在老婆的腰部垫一个枕头或是一条卷成筒状的毛巾，这样她就不会完全平躺。这是为了避免胎儿的体重压迫到老婆的血管，这会使得老婆的血液供给受阻。

- 鼓励老婆随着宫缩用力，保持平缓的呼吸，不要憋气。同时安慰她，告诉她一切都会好起来的。

- 胎儿的头出现的时候，你要告诉老婆。检查脐带是否绕在胎儿的颈部。如果是的话，把脐带解开，但要避免生拉硬拽。

- 用手托着胎儿的头部，向外引导他/她，而不是向外拉拽胎儿。如果可以的话，用毛巾接住胎儿（随着下一次宫缩，胎儿很快就会出来），因为胎儿身上会裹着羊水，血液和黏液。

- 用毛巾裹住新生儿，并且用毛巾擦干他/她的背部，直到他/她哭出声来，而这有助于新生儿开始呼吸。

- 尽早把宝宝交到老婆手里。目前，医学界认为宝宝一出生就应该母婴同室，与妈妈进行肌肤接触。大多数宝宝在妈妈的怀里时会本能地含住奶头，开始吃奶。

- 不要剪断脐带。如果胎盘也分娩出，不要管它，产科医生或者急救护理人员会处理的。你的老婆刚刚经历的分娩被叫做非抵达医院分娩（BBAs），这种叫法是医院那帮喜欢缩写的同志们发明的。一般来说，产科医生会去处理非抵达医院分娩，如果母婴安全，他们留在家里即可；如果有任何状况，产科医生会建议母婴去医院接受检查。

2. 我们到了医院后该做什么？

如果你没有帮老婆接生，而只是在她阵痛的初期就把她送到医院的话，先去妇产科报到，办理住院手续。然后，产科医生会在一个产房里为老婆做内检。产科医生会通过观察子宫颈的张开程度，判断老婆距离分娩还有多长时间。

血压和体温都要测量。产科医生还会用手持胎心多普勒听诊仪或“皮纳德”听诊器检查胎儿的心跳。如果产科医生觉得胎儿的心跳有问题，会在老婆身上连接一台胎心监护仪，这个仪器发出的声音有些像体育比赛中看台上记分牌发出的声音。产科医生在老婆整个分娩过程中，都会通过这个仪器检查胎儿的“实时得分”。

3. 老婆临产，我该做什么？

临产时，老婆会感到一波接着一波的阵痛和宫缩。此时你的任务除了拿好“待产包”以及记住里面装着什么东西之外，还有：

当老婆的拐杖

拐杖也许不是个恰当的比喻，但是老婆在产房里走动或者站着的时候，她需要你提供身体支撑。这种保持站立的“积极分娩”方式可以加速分娩的过程，而且老婆会感到比一直躺在床上要舒适一些。

给老婆按摩

给老婆按摩能够稍微转移一下她的注意力。所以，可以给老婆做一些背部按摩。如果宫缩十分强烈的话，她可能会要求你用大拇指使劲按压她的腰背部，以缓解疼痛。

让老婆坐在健身球上

一些产科医生会让产妇坐在巨大的橡胶健身球上，并且要轻微上下弹动。注意是轻微弹动，不要像坐在弹力球上一样在产房里乱跳。坐在健身球上轻微弹动可以促进胎儿在重力的作用下进入产道，并且有助于孕妇打开盆腔。你需要扶住老婆的腰部，以免她从健身球上摔下来。

帮助老婆采用临产姿势

利用你学习的产前知识，帮助老婆采取一些姿势来缓解疼痛，并加速分娩。老婆一定会对你刮目相看的。要有心理准备的是，尽管你在帮助老婆，她还是可能会骂你，如果她让你别乱动，你要听话。一些产妇会自己找到适合的方式来缓解疼痛。她可以试着采取以下姿势：

- 两腿站立，靠在床边或者你的身上。
- 双膝跪地，靠在椅子边上。
- 单膝跪地，这是为了改变盆腔的位置。
- 四肢撑地（在地上垫一个毯子，然后扶住老婆）。
- 抖动臀部，以帮助胎儿向下移动。
- 不停走动，鼓励她一直走动，因为站立的姿势会有所帮助。

准爸爸答疑

为什么呼吸练习这么重要？

自从上过产前培训班之后，你可能就一直被这个问题困扰着。在产妇宫缩的时候，呼吸方式是非常重要的。医院产科教授这种有节律的呼吸技巧，是希望产妇通过规律的吸气和呼气，尽可能增加用力的效果。如果你原来练过哑铃，只要是正规练习，你应该知道，应该先深吸气，给予肌肉和血液充分的氧气，然后再用力呼气，这样举哑铃时会更有力，产妇用力分娩时呼吸也是同样的道理。

这就是呼吸练习的原理，只是这里把哑铃换成了一个7斤重，卡在产道里面，不断向外“蠕动”的胎儿。这下你应该明白了吧。

所以，在老婆分娩时，你在一旁进行指挥是非常有用的。可能你老婆会大叫：“我一直在深呼吸呢！”你不要放弃，继续指挥。你需要让老婆注意呼吸的方式，因为：

- 慢慢呼气可以放松身体。如果憋气的话，老婆会更加紧张。
- 如果老婆呼吸地过快过浅的话，她会有过度呼吸的危险。
- 如果没有按照宫缩的节奏呼吸的话，她可能会更难以分娩——因为呼气的时候，腹肌会收缩。

试着同老婆一起呼吸，并且不断鼓励她，同时要保证你和她都能喝到足够的水。如果她能喝得下东西的话，运动饮料比较合适。即使在分娩池里生产，产房的温度加上分娩、服的厚度，都会让产妇感到很热，这种温度上的安排是为了保证新生儿出生后能够处在他们一直习惯的“子宫环境”。但是这样的温度会让你和老婆脱水，所以要不断补充水分。

除了呼吸技巧之外，你老婆现在可能想要使用镇痛药物。药物、热度，再加上压力可能会使产妇感到恶心呕吐，所以你要在产房里预备一个供她呕吐的垃圾袋。

4. 我如何才能知道正在发生的情况?

问，不断问，不懂就问。如果你不知道现在是什么情况，你的老婆很可能也一无所知，而且比你还担心。为了她好，只要你觉得有必要，就可以询问医护人员。整个分娩过程中，产科医生和护士都会定时巡房，检查你的老婆和胎儿。如果发现有任何不妥的地方，他们都会告诉你们的。在这个阶段，你需要把老婆的担忧转达给医生，同时也要尽力协助医护人员的工作，这些都是十分关键的。这些都是有关老婆和胎儿健康与安全的事情，所以你绝对不能犹豫。提前知道一些相关知识是非常必要的。

准爸爸答疑

大便失禁

不同的人对分娩过程的感受不同：要么感到欢欣雀跃、心满意足，要么留下心理阴影，如经炼狱。但是有一点感受是相同的，那就是分娩不是一个让人感到庄重的时刻。你会见到你老婆从未展现过的一面。你很可能会被老婆分娩的场景惊得目瞪口呆，对她心生敬畏，要知道男人永远无法理解也无法体会女人分娩所经历的痛苦。但是，还有一个场景你也将过目难忘，那就是你老婆有可能会大便失禁。尽管不是所有产妇都会出现大便失禁，但是这种情况随时有可能发生，因为此时产妇的整个生理系统几乎都要崩溃了。产妇在用力分娩或者竭力想要控制宫缩的时候，就可能会出现大便失禁，排泄到产床上，或是分娩池里。你此时唯一的做法就是完全忽略这一事实。产科医生会非常快速地清理现场。你以后也不要再提起此事，当然也不要用摄像机拍下来。

5. 助产士要求老婆用力，是时候了吗？

是的，此时胎儿已经开始启程了。往往也就是这个时候，你以为分娩停滞了：老婆感到疼痛难忍；你感到十分焦虑；燥热的房间、呼吸技巧、麻醉药剂还有宫缩……突然，助产士下令让产妇开始用力。老婆的身体多少也在指引着她，因为她会不由自主地想要用力。宫缩的间隙越来越小，几个深呼吸后，老婆开始用力了。她此时可能会采取蹲姿，这样比较容易发力，重力正好还能帮上忙。她有可能会要求你从她的腋下抱住她，也有可能让你别碍事离远点。

此时，很多准爸爸会凭感觉行事。温柔地对她说你有多爱她，似乎有些不合时宜，但是很多准爸爸发现，这似乎是第一次在这么多陌生人面前对老婆说“我爱你”。如果你此时不由自主的说出“我爱你”或者其他鼓励的话，也不要感到惊奇。分娩就要达到高潮，她感受到的痛苦和不适也即将到达顶点，你们马上就要看到胜利的曙光了。不要吝啬你鼓励的话语，她现在比任何时候都需要你这个坚实的后盾。

如果你面对着老婆的产道，或者正在为她举着镜子，以便让她看到下面正在发生什么，那么你即将见证一个神奇的时刻。不是所有的准爸爸都能看到“加冕”的时刻（宝宝的头部露出老婆的产道)。尽管许多目睹这一情景的准爸爸都表示这一刻将终身难忘，但也有些准爸爸会对这个场景手足失措。你的老婆此时可能会猛地发力，但是宝宝露出半个脑袋的时候，助产士就会要求她放松——轻轻地、缓缓地用力。这样，会阴部的肌肉和皮肤能够充分舒展。

对于晕血的准爸爸来说，一个严酷的现实就是分娩的时候会有很多血，而且老婆还会感到十分疼痛，相信这样的场景你是不会感到享受的。最后，在目睹老婆经历这次惊心动魄的鬼门关一游之后，毋庸置疑，你一定会更加崇拜她，更加崇拜所有女性……甚至对所有雌性充满崇拜之情。如果你此时感到欣喜若狂，没关系，叫出声吧。

准爸爸经验之谈

分娩

“萨拉是早上七点破水的，下午两点开始宫缩，直到午夜时分才进入第二产程。乔是凌晨两点出生的，而助产士是在早上五点左右离开的。所以，尽管真正的分娩过程只用了12个小时，但是生产前后总用时却将近24个小时。在家分娩对于萨拉来说十分艰难，因为没有任何麻醉药剂，但是如果下次生孩子的话，我们还是会选择在家里。在家里生孩子比在医院感觉好多了。让我最难过的要数看着萨拉经历那么大的痛苦。尽管之前我还担心我会晕倒，但是最后我没事儿。幸运的是一切照计划进行，没有出现任何并发症，也不需要接受治疗。因此我认为提前了解分娩的相关知识和讨论生产计划都是很重要的。我在网上观看了一些分娩的视频，这帮助我克服了心理恐惧，而且也使我有了心理准备。我认为大多数准爸爸不会愿意观看这样的视频，但是对我而言这些视频确实很有帮助。”

——查理

准爸爸答疑

老婆分娩时，你的工作清单

- 陪着你老婆：握着她的手；用湿毛巾给她擦汗；帮她喝水；说鼓励的话。
- 如果你老婆在分娩过程中过于紧张和难受，你要帮她向助产士传达她的问题。
- 帮老婆按摩腰部；帮她改变姿势；让她感觉更舒服。
- 支持老婆的决定：包括分娩方式、麻醉药剂和分娩时的背景音乐。
- 在老婆宫缩的时候，陪她一起呼吸，以保持呼吸节奏。
- 宝宝出生的时候，要告诉她发生的情况。如果她希望你看着宝宝出生并且给她解释情况的话，要有心理准备。
- 不要做以下事情：跑出产房大叫，“我不适合当爸爸”；或者说“宝宝应该是这个样子吗?”或者是她应该忍住疼痛赶紧把宝宝生下来，要不然你会错过体育频道的“今日最佳”。

6. 人工引产的方式有哪些?

当产科医生说，要“适可而止”了（尤其是当你的老婆处在孕期的42周或43周时），医院便会采用某种引产方式给胎儿的降生过程加速。

人工剥膜

产科医生会带着橡胶手套，将手指深入老婆的子宫颈内将胎膜和宫壁剥离（不要在家自己尝试），以促进老婆的身体释放催产素，即前列腺素。这种引产方式在分娩前实施，目的是促进分娩过程开始进行。

人工引产

这种方式可以让分娩立刻开始，这对过了预产期还没分娩（超期妊娠）的产妇来讲是个极大的解脱（对胎儿也是如此）。一般来说，你的老婆会被要求在某个预订的时间去医院接受人工引产。医生会用凝胶——一种产道栓剂来促进你老婆的身体释放催产素。一旦决定需要进行人工引产，老婆就需要一直留在医院，直到宝宝生下来为止。往往人工引产最后需要进行剖腹产手术。

人工破水法

人工破水法就是用一个探针刺破包裹着胎儿的羊膜，使得产妇的羊水破裂。只有在产妇子宫颈张开4厘米以上，并伴有宫缩的时候才会使用人工破水法。

由于精液中含有天然的前列腺素，所以在妊娠期最后几周进行性生活也可以加速分娩进程。当然，你们可不要在产房里过性生活。

7. 助产方式有哪些？

什么是外阴切开术？

问这个问题你会后悔的，因为读下面几句话的时候，你会不自觉地夹紧双腿，双腿还会抖个不停。有时候会阴部的皮肤（产道延伸出来的部分）不够舒展，无法让胎儿的头部通过。在这种情况下，产科医生或医生会在征得产妇同意之后，对会阴部进行局部麻醉，然后进行切割，从而使得产道开口变大，也就是我们常说的侧切。

这个伤口会在分娩过后缝合或者自然愈合。产科医生表示，一般很少有产妇拒绝缝合这个伤口。有时候，分娩时会造成更加严重的撕裂，医护人员会在产妇分娩后立即处理。

如果你还能读得下去的话，那么外阴切开术一般会在使用产钳或者真空吸引器时同时进行。如果你当时就坐在产床边上，看着老婆做外阴切开术，你自己都会觉得疼。想象一下老婆此时的感受，如果你胆敢把头扭到一边，发誓下次再也不进产房，你老婆一定会把你的手当场撕烂。如果她刚分娩一两天以后，你就缠着她想过性生活的话，只要再读读这几段，你肯定会打消这个念头。

什么是真空吸引器助产？

在产前学习班上，你可能见识过或者听说过什么叫做真空吸引器助产或者产钳助产。上课的时候，医生可能只是轻描淡写地说这些都是“助产工具”。但是事实上，这些工具都相当吓人。真空吸引器，名字听起来像一个玻璃火罐儿，实际上是由金属或者橡胶制成的，样子有些像疏通下水道用的皮搋子，而且工作原理也大同小异。在吸引器下方制造真空后，可以吸住胎儿的头，产科医生可以借此把胎儿从产妇的产道中拽出来。宝宝出生后，头上会留下一个圆锥形的红印儿（叫做假髻），几天后才会消失。这种助产方式不会给宝宝带来其他较大的副作用。

我知道什么是产钳，但是为什么要用这种东西?

如果真空吸引器助产没有用的话，就会使用产钳助产。产钳有一对大钳子——真空吸引器像皮搋子一样吸引胎儿的头，产钳像钳子一样夹住胎儿的头。这对钳子会伸到老婆的产道中，然后夹住胎儿的面颊或者下颌（确实是这样，如果这让你难以相信的话，再把这句话重读一遍）。然后，产科医生会用产钳轻轻地把胎儿的头部引导出来。1/8 左右的顺产使用的是产钳助产或者真空吸引器助产。

老婆会受到永久性损伤吗?

如果你的老婆接受了器械助产或者外阴切开术，那么她在产后很可能会出现疼痛和挫伤；阴部还会出现疼痛和麻木；在一段时间内还有可能会出现大小便失禁的情况。所以，你要体谅她，尤其是你想要过性生活的时候。如果老婆想在性生活中动作轻缓一些，或者因为感到不适而终止性生活，不要感到惊讶。损伤总是会痊愈的——就像宝宝总是会长大而不再哭闹一样。但是痊愈可能需要几个月的时间。所以你在老婆怀孕和生产过后的一段时间里，都会牺牲许多睡眠和性生活。如果你觉得老婆采用这些方式分娩让你觉得很苦恼的话，不要认为她剖腹产就能让你很快地过上产后性生活。

8. 老婆剖腹产，我要陪着吗?

在英国，20%的新生儿是通过剖腹产出生的。剖腹产是指通过在比基尼线的（具体位置是在人体的腹股沟处。女性在穿三角型内裤的时候，三角裤V字形的边缘就是比基尼线的位置。你很久一段时间内都不会看到老婆穿比基尼了）部位切开产妇的腹部和子宫，将胎儿分娩出来。

你的老婆可能会进行选择性剖腹产，这是指老婆选择剖腹产进行分娩，这样你们会知道宝宝出生的确切时间。如果顺产对产妇或者婴儿有风险的话，产科医生可能会出于多种考虑而建议产妇进行剖腹产，比如胎位不正；产妇患有子痫前期；产妇怀有双胞胎或多胞胎。在这些情况下，剖腹产相对安全一些。

你的老婆也可能需要进行紧急剖腹产，比如胎儿窘迫、脐带脱落、脐带绕颈或者子宫颈开口过小。如果你老婆好几个小时都无法通过顺产将胎儿娩出，剖腹产是最后的手段。也许她会不愿意用这种方式生产，但是医护人员一般会建议立刻进行剖腹产。

如果进行剖腹产的话，你老婆可能已经接受了硬膜外麻醉或者一种与其类似的麻醉，如脊椎麻醉；或者在进行剖腹产的时候才接受麻醉。她会被转移到手术室，胸前会架起一个屏风。整个过程，老婆会保持清醒状态，但是麻醉师会保证她不会感受到剖腹产的疼痛。一般来说，剖腹产手术10分钟就可以完成。在宝宝送到你手里之前，需要接受检查、擦身和测量。于此同时，外科医生会进行第三产程——取出胎盘。

如果胎儿胎位异常，比如脚在下，头在上，也需要进行剖腹产。胎儿脚先娩出，头后娩出的分娩也叫做“臀位分娩”。在孕期 32 周的时候，20% 的胎儿处于这种姿态。等到分娩的时候，大多数胎儿都会处于头朝下的姿态。

1/5 的英国新生儿是通过剖腹产出生，这些新生儿中，1/5 发生胎位异常。产科医生可能会通过一些人工辅助使胎儿进入正常胎位，即对产妇的肚子进行推拿（业内叫做胎儿外转术，ECV）。但是在这种情况下，有时候剖腹产会相对安全一些。当然胎位异常的时候，你的老婆也可以进行顺产，不过这种情况下，很可能需要进行硬膜外麻醉和产钳助产。

准爸爸答疑

老婆在担心什么……看到你害怕的样子

在产妇进行剖腹产时，如果准爸爸表现得十分紧张，那么产妇会感到更加疼痛。英国巴斯大学和伦敦大学对剖腹产产妇进行的研究显示，准爸爸们在剖腹产过程中的感受与产妇的紧张和害怕程度有关联。准爸爸紧张也能够加重产妇术后的痛感，这会影响到产妇的术后恢复，并且可能会造成其他影响，比如母乳喂养的问题或同新生儿建立感情的问题。

老婆剖腹产后多长时间可以恢复?

要知道，她刚刚进行了一个大手术。所以，她需要大量的时间进行休息和恢复。她可能还需要住院观察几日。腹部缝针使得她行动困难，无法开车，不能提重物更不能过性生活（所以你还得等等）。剖腹产术后痊愈需要6周时间。在6周的时间里，她能做的事情主要就是给宝宝喂奶。作为爸爸，母婴回家之后，你需要加倍努力地操持家务。

你知道吗？

凯撒大帝与剖腹产……

英文中剖腹产（Caesars）这个动词同罗马大帝尤利乌斯·凯撒的名字是同一个单词。和一些人认为的不同，这并不表明凯撒是通过剖腹产出生的。剖腹产这个单词来源于拉丁语（Caedere），意思是切割。

准爸爸经验之谈

剖腹产

“由于胎儿在最后阶段出现了胎位不正，我们不得不放弃顺产，改成选择性剖腹产。这对我们来说是件好事。但是医院方面会给出很多原因，试图劝说夫妇不要采用剖腹产。我在做了充分研究之后发现，医院这么做是主要出于成本的考虑——不要让医护人员把你忽悠了。”

——多米尼克

取出胎盘

不论你的老婆进行剖腹产还是顺产，第三产程都是一样的：取出胎盘（或者叫做胞衣）。

提醒你一句，如果分娩的过程已经让你感到十分害怕，那么这最后一步能把你逼到崩溃。即使宝宝已经生下来了，你的老婆还会出现更加强烈的宫缩，这样胎盘才会分娩出。不过不要急着屏住呼吸，这一步骤最长需要花一个小时左右。你老婆也可以接受一剂药物注射（“麦角新碱”或者“思托思诺”），这样可以加速这一步骤。

如果你想保存胎盘的话，记得要告知产科医生。在一些文化中，胎盘会被埋起来（有时候会同书籍埋在一起），以保证宝宝长大后聪明伶俐。一般来说，父母会把胎盘留给医院处置。记得在给新生儿照相的时候，后面的背景里可不要出现血淋淋的胎盘。

9. 我可以剪脐带吗？

如今，新生儿的爸爸给宝宝剪脐带似乎成了一种仪式。你也可以如法炮制这个有些像“剪彩”的仪式，它象征着你们一家新生活的开始。好吧，这是比较诗意的说法。事实上，剪脐带是一个不洁而且极短暂（幸亏很短暂）的过程。有些医院有规定或者产科医生不允许准爸爸剪脐带。如果你可以剪脐带的话，医护人员会用钳子夹住脐带，再递给你一把剪子。脐带连接着你的宝宝和胎盘。此时，胎盘还在老婆体内。宝宝还在子宫里时，脐带为其提供养料和氧气。脐带直径约为两厘米，包括一条静脉血管和两条动脉血管：静脉血管提供养料和空气，动脉血管送走代谢废物。脐带外部裹着胶质、血液和体液，长度约为60厘米，两条动脉血管缠绕着静脉血管。所以，剪断脐带需要稍微费点儿劲。

剪脐带有点儿像剪一根滑滑的缆绳，你旁边还守着一群人——老婆、医护人员和宝宝——他们似乎都在催你赶紧完事。

事实上，宝宝一出生，要立刻放到妈妈的胸前，然后你就可以剪脐带了。不过产科医生还要再剪一次，脐带最后在宝宝身上只留1厘米的长度。这段残留在宝宝身上的脐带会经过消毒，然后会包扎上一块无菌绷带。7 ~10 天左右，这段脐带会脱落，露出宝宝的肚脐。不论你多么笨拙，剪脐带都不会弄疼宝宝。

我们为什么要保存脐带血？

以前，脐带会被扔到医用垃圾中去，然后在周四的早晨由清洁工统一收走。但是现在父母可以用脐带救宝宝的命。

之所以保存脐带，有一个原因是脐带里含有宝宝的干细胞。这些细胞可以从脐带中提取出来，然后保存起来。这些干细胞可以培养成血细胞、骨细胞或者皮肤细胞，用来修复宝宝受损或者患病的器官。干细胞可以保存20年。

通过保存脐带中的血液和组织，你的宝宝就有了与他/她配型完全吻合的细胞和血液。如今，干细胞可以用来治疗多种癌症，如血癌（白血病），也可以用于骨髓移植疗法，而且不会产生排斥或者感染。未来，干细胞可能会用于帮助治疗糖尿病、心脏病和帕金森综合症。

脐带血如何保存?

这项工作比较复杂。不是一个心急的准爸爸用铅笔刀和“特百惠”塑料桶就能搞定的。

这项工作一般由获得人类组织局（HTA）授权的医生、产科医生、护士或者刺络医师（又一个新名词）来完成。目前，每年在英国出生的超过一百万新生儿中，只有大约一千人的脐带血样本被保存。

脐带血保存并没有得到人们的广泛接受，但是如果你和老婆有兴趣的话，需要尽早向产科医生或者医生进行咨询。你需要知道当地医院是否具备脐带血采集的资质，而且不同医院和不同妇产科就脐带血保存有着不同的政策。

脐带血采集的时候，你还需要指定一位第三方专家在场，并由此人采集并保存干细胞。但是，无法保证这些干细胞一定可以保存。

有时候，由于分娩时的一些并发症或者胎儿的血液供应出现问题，而无法进行脐带血保存。

一般来说，在新生儿父母要求下保存的脐带血，是在私立医院（非国家健康服务系统医院）采集并保存的。不过，你不要因此就打消保存脐带血的念头。也许这些干细胞根本派不上用场，最后会被扔进垃圾堆；也许这些干细胞可以救命。

不过你也不一定非得保存脐带血，要知道这需要一笔不小的费用。

想要了解更多脐带血保存的相关事宜，咨询你的医生和产科医生，并且参考妇产科学院、人体组织局和产科医生学院的建议。也可以参考其他一些组织的宣传资料。

10. 宝宝出生了，我能给他/她照相吗？

为宝宝和疲惫的老婆拍的第一组照片可能会被珍藏在家庭相册里，供你们以后慢慢品味。不过，还有一种可能就是，这些照片被放到网上，供所有认识你的人欣赏。至少，你会洗出来一张，并且放在相框里，摆在壁炉架上的显眼位置。

照相之前，你最好让老婆先整理一下自己，梳梳头、化化妆（待产包在哪）。记得等她给宝宝喂完母乳之后，你再趴过去，像个狂热的狗仔队员一样照相。不要开闪光灯——宝宝会受到惊扰。

趁这个机会，好好花点儿时间，仔细看看你的宝宝。不过，不要被宝宝的样子吓到。

你知道吗？

宝宝生下来可不是瞎子……

宝宝生下来就有视力。事实上，宝宝没出生的时候，你用手电照射老婆的腹部，宝宝会眨眼。不过别这么做。一来，这样很傻；二来，这会让老婆感觉怪怪的。

11. 为什么宝宝看起来这么“丑”？

宝宝刚降生的时候，体内充满了红血（含氧血）和蓝血（缺氧血）。宝宝身上还会裹着一层白色的物质——蜡质的胎儿皮脂。如果宝宝是通过真空吸引器助产，那么宝宝的脑袋顶部可能会有凸起；如果是通过产钳助产，那脑袋两侧会有红印。宝宝的脐带是蓝色的，嘴唇和舌头呈粉紫色。所有新生儿身上都是黏糊糊的，这样是有好处的。一旦新生儿遇到外界较冷的空气，他/她的皮肤便会开始降温，这会引起两种反射：哭泣（遇冷哭泣反射——宝宝尿布湿了之后也会有相同的反射）；血压上升（遇冷加压反射）。这样宝宝在哭泣的时候，需要用力吸入空气。这可是宝宝生命中的第一口空气！这两种反射能够使得宝宝摆脱对胎盘的依赖，进行自主呼吸。

12. 我为什么没有心潮澎湃的感觉？

据称，一些爸爸在宝宝出生的时候感到兴高采烈、乐不可支或者惊叹不已。一些喜欢去酒吧的爸爸更是会十分自豪，跟吧友们滔滔不绝地讲述见到小家伙第一面时的情景。但是，如果你没有在产房里一跃三尺高，也不要觉得奇怪。老婆的分娩会对你造成不小的心理冲击，所以你第一次把宝宝抱在怀里的时候，也许大脑一片空白，不知道该说什么，也不知道该作何反应。宝宝终于出生了，你的心情会十分凌乱，一方面感到如释重负，一方面还在担心老婆的健康，所以此时即使你表现得手足无措，也是可以理解的。

抱起你的宝宝!

这是现在应该做的事情。如果可能的话，请医护人员给你和宝宝拍张照片。这一时刻永远无法重演。而且在老婆怀孕时期，作为准爸爸，我们一直对自己的能力充满怀疑，所以这个时刻显得尤为有意义。你现在能够切切实实地把自己的宝宝抱在自己的怀里——你成功了。赶紧对着镜头，露出你自鸣得意的傻笑吧。然后准备好……

把衣服脱掉!

产科医生和婴儿专家相信，此时父母应该尽可能的多抱抱他们的宝宝，这是非常关键的。只要你的宝宝一切正常，你就应该尽快跟宝宝进行“肌肤接触”。由瑞典研究者进行的一项研究发现，爸爸同宝宝进行肌肤接触，可以使得宝宝更加平静，尤其是妈妈因刚刚进行了剖腹产而无法在第一时间抱宝宝的情况下。这项研究还发现，如果宝宝先由爸爸抱过之后再交到妈妈怀里的话，宝宝会更愿意吃奶。这是因为在爸爸怀里的时候，宝宝贴在你的胸前，会主动找奶吃，不久之后就会放弃，等到进入妈妈的怀抱的时候，由于突然有奶吃，便会非常高兴。你也一定会因此感到高兴。所以，你应该赶紧把上衣脱下来，把宝宝贴在自己的胸前。这样，你的上衣也不会沾上宝宝的皮脂。

准爸爸经验之谈

意料之外的事情

“我们当时心理准备不充分，胎儿的心率下降；麻醉师在进行硬膜外麻醉前会递给你一份关于常见风险的知情同意书；真空吸引器的力度；吸引器的大小——这一切，我们都没有想到。事实上，医院里有很多人，产床上有脚蹬——很正常，但是我还是有些惊讶。最难熬的事情是，我们需要在医院排五天的队才能进行检查，当时根本不知道还有其他三十个宝宝，其中有些还处在危重状态，他们更需要医生的照顾，所以在整整两天里，我们都没有得到医生接诊的机会。”

——汤姆

13. 刚出生的宝宝要做哪些检查？

宝宝出生几分钟之内，医护人员会对宝宝进行一系列检查：

- **称体重：**记住宝宝的体重。只要你告诉别人宝宝出生了，他们第一个问题就有可能是问宝宝的体重。

- **测身高：**这是第 1 次给宝宝测身高，以后还会不断地测——以后给宝宝测身高有些强迫症的意思。等你把宝宝接回家以后，卫生随访员会给你发一个本子，让你记录宝宝的生长曲线。接着，你会在婴儿室的墙上贴上一张新买的身高表，表上往往画着一只长颈鹿。等宝宝 5 岁开始上学的时候，学校也会给他/她测身高……

- **贴标签：**希望这是唯一一次给宝宝贴标签。医院会在宝宝的手腕上带一个腕带，腕带上面写着母亲的姓名。不要担心，你现在还不需要告诉医院宝宝的名字。

- **新生儿测试：**宝宝出生后要进行多次“阿普伽”新生儿测试。产科医生会检查宝宝的肤色、心率、呼吸力、肌张力和反射应激性（宝宝对外界刺激的反应——出现表情或哭泣），然后会根据这些指标来打分。

满分为 10 分（每项 2 分）。健康宝宝的平均值一般为 7 分左右。如果宝宝的得分在 4 ~6 分，那么任何得分较低的方面会得到除常规产后护理以外的特殊护理。尽管很多宝宝在刚开始得分较低，但还是会健康成长。

一些宝宝需要接受额外护理。早产儿和黄疸儿（见后文）以及产妇都需要继续留在医院接受观察和检查。如果宝宝确实需要额外护理，你需要同老婆商量下对策之后，再通知其他亲友。如果在重症监护室外面挤满了忧心忡忡的亲友，对谁都没有好处。除非得到你的允许，不要让其他亲友来探视。你并不需要撒谎，只要跟亲友把话讲清楚就可以了，做一个言出必行的爸爸。你现在就应该自己练习一下。

14. 我可以告诉亲友团好消息了吗?

你们现在是三口之家了，好好享受一下天伦之乐吧。你现在肯定已经迫不及待想要告诉亲友们宝宝出生的好消息，但是现在你最好先自己回味一下。如果你给老婆准备了礼物，现在就送给她吧。医生可能会鼓励你的老婆开始母乳喂养。不过她可能会因此感到沮丧和心神不宁。你要给老婆提供最大的支持——不过你可能需要离开老婆和宝宝一阵子，迫不及待地去打电话。告诉一两个要好的亲友，然后请他们帮忙向其他人转达消息。告诉他们一些必要的信息（见下），然后把手机关掉一会儿，趁机补补觉。尽量做好准备，你会被亲友问到以下问题。

- **男孩还是女孩?** 你不会只顾兴奋，全然没有注意到吧?
- **体重多少?** 参照下页表，换算出宝宝的体重，包括公斤、磅数和“糖袋”数。

亲友们问的第一个问题是：男孩还是女孩？接着第二个问题就是：多重？只有女人，尤其是做母亲的女人才能体会到宝宝个头的意义，以及生宝宝的艰难。

如果小数点和盎司让你的脑子乱成一锅粥，你只要告诉亲友们宝宝的体重相当于几袋白糖就好（1 袋白糖 =1 公斤）。

宝宝体重转换表			
公制单位	**英制单位**	**糖袋**	**亲友们可能的反应**
2.8 公斤	6 磅　3 盎司	将近 3 袋	不错，不算太重
3.0 公斤	6 磅　8 盎司	3 袋	不错，很健康
3.3 公斤	7 磅　4 盎司	3 袋多	这是平均值吗？
3.5 公斤	7 磅　11 盎司	3 袋半	哇，算重的吗？
3.8 公斤	8 磅　6 盎司	将近 4 袋	哇，这么重
4.0 公斤	8 磅　13 盎司	4 袋！	哎呦喂

- **几点出生？**人们喜欢打听具体细节，比如宝宝出生的准确时间；老婆分娩花了多长时间；宝宝是什么星座，等等。
- **有什么显著特征？**胎记；姜黄色头发；跟爸爸是“一个模子刻出来的”；给亲友们一些八卦的谈资。
- **宝宝长得像谁？**皮肤粉一块、紫一块；头发上黏着血；头上有个真空吸引器弄的大红印；皮肤上裹着胎儿皮脂——家里没有什么亲戚长这个样子吧？
- **宝宝什么名字？**不要跟亲友们透露正在考虑中的名字，除非你和老婆已经确定了宝宝的名字。如果他们问起来（他们肯定会问的），告诉他们你还没想好。不要让他们动摇你，你也不要随便说一个名字，因为这个名字说不定会像玩传话筒游戏那样，在亲戚们之间越传越奇怪。

15. 什么是黄疸?

如果宝宝的肝脏不能及时分解过多的血细胞，皮肤就会泛黄。这种一般是生理性黄疸，这种情况比较常见，只要宝宝进食正常、神志清楚、小便正常，一般一个月之后，症状就会自行消退。

如果情况比较严重——宝宝除了皮肤泛黄、黄色较深外，还会出现哭闹、拒奶等情况，此时，医生可能会把宝宝放在重症监护室中接受蓝光照射，这种紫外线灯会帮助消退黄疸。大多数情况下，出生时出现黄疸的宝宝也照样会非常健康地成长。

16. 怎么陪床?

你们可以询问医护人员是否允许你陪夜。奉劝你不要在夜里一点的时候以医院有虫子或者想睡个好觉为借口开溜回家。你应该主动留下，再说现在医院一般都会允许一个人陪床。据一项由政府支持的儿童医疗战略中得出的研究报告显示，已有充分证据表明新生儿的父亲尽早参与到育儿过程，对孩子的社交、情感、智力等的发展，以及孩子的幸福都有着积极意义。为了帮助新生儿的父亲尽早参与到育儿过程，这份报告号召医疗卫生机构鼓励他们在产科陪老婆和宝宝过夜。

据国家育儿信托基金会称，如果新生儿的父亲不得不在孩子刚出生几小时就把母婴留在医院的话，父亲会产生心理阴影。另外，你的老婆会感激你的支持和照顾，你也可以分享宝宝出生后迎来的第一个早晨。

带宝宝回家　宝宝：1~2 周

宝宝在出生一周之后，体重会减轻 10%左右，主要是体液流失——尿液和粪便，包括胎粪。只要进食良好，大部分宝宝 10 天之后就会恢复体重。

1. 什么时候可以带宝宝回家?

当产科医生满意宝宝的表现（进食和排便都正常），老婆也有精力下床的时候，她和宝宝就可以出院了。在宝宝出院之前，接受过专业培训的儿科医生和产科医生会对宝宝进行一系列的检查。这些检查一般是在宝宝刚出生的头几小时之内就进行，如果宝宝需要留院观察或特殊护理的话，检查会在宝宝出生几天后进行。如果宝宝早产（34 周之前出生），体重过轻；需要医疗辅助——辅助呼吸和进食、保持体温；心脏或者血液循环有问题，医院都会对宝宝进行特殊护理，直到一切恢复正常。

如果这样的话，这段时间对于你和老婆都非常艰难。你刚刚见证了小生命的诞生，可是你却不能像其他爸爸那样抱抱自己的宝宝。

婴儿病房里的大型医疗设备会加重你的焦虑感，不过医护人员会不断安慰你。他们会鼓励你尽可能地接触宝宝，并且会告诉你在这个阶段如何同宝宝相处。

我如何把老婆和宝宝接回家?

一旦宝宝一切正常，你们就要回家了。如果你开车接老婆和宝宝回家，你需要在后座上安装一个适合新生宝宝使用的安全座椅（详见第五章）。这可以是“旅行套装”中的安全座椅或者是专门的儿童安全座椅。

在宝宝出生之前就要学会如何安装安全座椅，以免在出院的当天手忙脚乱，花了好几个小时也安不好。如果你叫出租车接老婆和宝宝回家，也要记得带上安全座椅。出租车司机肯定会告诉你，宝宝的安全责任在你，而不是他。所以你要保证宝宝坐在后排时的安全。

宝宝回家的第一天晚上一定会让你记忆犹新。尽管你十分疲惫，但你还是很可能无法入睡，你会一直注视着熟睡的宝宝。不过，宝宝每隔几个小时就会醒来一次。不管老婆是否给宝宝哺乳，宝宝每隔几个小时就需要获取营养。

准爸爸经验之谈

接宝宝回家

“我们走出医院大门的时候，总是感觉会有人在后面叫住我们，要把宝宝抱回医院，因为我们觉得自己还没有准备好为人父母。我和老婆不断地掐自己，确认自己真的当爸爸妈妈了。我们需要赶紧弄明白如何面对新生活。梅尔在怀孕的时候读了大量的相关书籍，但是宝宝真的降生之后感觉还是不太一样。不过我们很快进入了角色，而且宝宝也不是特别让我们费心。”

——马修

2. 老婆给宝宝喂母乳的时候，我能干什么？

母乳喂养是喂养宝宝最自然的方式。母乳中还富含增进免疫系统功能的抗体和各种宝宝成长所需的必要营养，而且母乳喂养比其他喂养方式便宜、方便得多。

不过母乳喂养没有看起来那么简单，这时候就该你帮忙了。有些新生儿母亲会发现宝宝不会用嘴含住奶头吸奶。如果新生儿母亲不能掌握给宝宝母乳喂养的技巧的话，对母婴双方都不利。所以，最初几次喂奶的时候，要记得：

- 陪在旁边，别睡着，你可能会帮上忙。
- 因为老婆在熟悉母乳喂养之前，会感到疼痛和沮丧，所以在老婆努力尝试给宝宝喂奶的时候，要鼓励并且安慰她。任何一个产科医生都会告诉你：有资料显示，母乳喂养对母亲和宝宝都有好处。母乳喂养的宝宝不容易感染、过敏或者超重，而给宝宝母乳喂养的母亲也容易同宝宝建立感情，并且催生体内的“感觉良好”激素，比如血清素，甚至可以降低她们罹患某些癌症的风险。
- 拿一个枕头或者靠垫放在老婆背部，或者垫在宝宝身下。
- 如果需要的话，在喂奶前给宝宝换尿布。
- 到厨房给老婆准备一大杯水和一些零食，因为一次喂奶有时候会持续一个小时，甚至更久，在这期间，老婆没法移动。
- 你可以帮助宝宝找到妈妈的奶头。如果给双胞胎宝宝喂奶的话，这样尤其有帮助。

准爸爸答疑

你所不知道的乳房……

在老婆给宝宝哺乳的适应过程中，你要有心理准备，你会碰到很多挫折。怀孕期以来，老婆的胸部膨胀到了你以前从未想到的程度，但是这并不意味着老婆就能够给宝宝提供源源不断的奶水。而且，作为女性，不代表她就必须给宝宝哺乳。

宝宝吮吸的动作能够激发妈妈的脑垂体加速分泌催乳素。所以，一般来讲喂奶越多，产生的奶水也就越多。

乳头酸痛会成为一个大问题，所以你就不要凑热闹啦。宝宝在刚开始的时候会非常贪婪，给宝宝哺乳，建议“少量多餐”，这样也能使得奶水供应变得稳定。你老婆的胸部可能会变成一天24小时，全天候喂奶的奶瓶，你不要感到惊奇。宝宝的生长会经历几个冲刺期（在出生10天左右会进入第1个冲刺期），宝宝会疯狂地吃奶。

在陪产假期间，除了做家务之外，你可能还得去药店，给老婆买乳头保护罩。乳头保护罩是软质的硅胶制品，像一顶小小的墨西哥帽子一样罩在乳头和乳晕上方，可以便于宝宝吮吸，保护乳头，并且防止奶水过量留出。如果乳头过短，乳头保护罩也非常有用。

不要把乳头保护罩和防溢乳垫弄混了。防溢乳垫是贴在胸罩内侧，用来防止奶水渗漏的。

等你老婆的奶水达到“工业产量”的时候，你就可以帮忙喂宝宝了。宝宝吃奶的频率很高，平均每 2 ~ 3 小时就得吃一次。新妈妈也可以通过吸奶器把奶水挤到奶瓶里，这样她的乳房就可以得到充分休息，而且在老婆晚上睡觉的时候，你就可以值晚班喂宝宝了。

好吧，把奶水挤出来可能感觉不是很好。但是喂宝宝是一个增加你和宝宝感情的机会，千万不要错过。宝宝对老婆乳房的依恋越少，你也就越容易同宝宝建立感情。

一些爸爸会发现，看到老婆的乳房发挥自然功能会让他们感到“性趣缺缺”。研究发现，许多男性在老婆生了孩子之后，性欲会有所减退。科学家认为这种情况源自于人类的进化过程——因为此时老婆需要从分娩的创伤中恢复，原始社会的男性在老婆生育后就会性欲会减退，可以使得他们不会在老婆最需要他们的时候另觅新欢，同时也可以防止男性向老婆求爱。

3. 喂奶：爸爸也可以是“奶牛”？

如果你准备与老婆轮流喂奶（母乳或配方奶），你要做以下的事情：

保证卫生

奶瓶和奶嘴需要定期消毒。消毒方式有多种，熟悉一下常见的种类。

- 化学消毒：这是用消毒药片或消毒药水对奶瓶进行消毒。你把消毒水溶液配好后，把奶瓶和奶嘴放在里面浸泡 30 分钟，最后把奶瓶冲洗干净后再使用。每天都要配新的消毒水溶液。
- 蒸汽消毒：这种消毒器的工作原理有些像烧水的茶壶。这取决于奶瓶的个数，一次消毒最多需要 15 分钟，等奶瓶冷却后再使用。
- 微波炉消毒：毋庸置疑，这是最简单的方式。把奶瓶和奶嘴放在一个塑料器皿中，再加些水，然后按“开始”（不用说你也知道）。打开奶瓶的时候要注意，小心水蒸气烫人。

按照说明书的要求冲奶粉

这可不是摆弄新买的手机，所以不要不懂装懂，也不要试图“实践出真知”。如果你用配方奶粉喂宝宝，一定要按照标签上的说明来冲奶粉。标签会根据宝宝的年龄，注明所需的奶粉浓度。一定要看清说明不要自己想当然，要严格遵守说明书的要求，一般来说一勺奶粉配一杯 50 毫升温开水。

检查奶水的温度！

用奶瓶喂奶之前，先在手腕处滴一滴奶，确保奶水不烫。哺乳期的宝宝需要喝温热的奶水。如果你把奶水冷藏在冰箱里，拿出来以后先放到热水里泡一会儿，也可以使用热奶器。如果是冷冻的母乳，一定要提前拿出来，先室温解冻，再加热。

避免用微波炉热奶

微波炉热奶确实方便，很多父母都这么做，但是用微波炉热奶有可能使得奶水过热，这样有可能烫伤宝宝的嘴，让宝宝痛哭不止。有些人还认为，微波炉热奶会破坏配方奶粉中的营养成分。如果你非要用微波炉的话，记得每加热 10 秒钟就要停下一次，把奶瓶拿出来，摇匀；再加热 10 秒钟，再摇匀。一瓶奶最多加热 30 秒。在喂宝宝之前记得用力摇一摇。

保持舒服的姿势

有些宝宝就像圣诞节家宴上的老年亲戚一样，吃一点儿，然后打会儿瞌睡，几分钟会醒过来，再吃一点儿。所以喂奶的时候，你最好坐在椅子上，把宝宝抱在怀里，让宝宝的头靠在你的肩膀上。记住，一旦他们开始吃奶，你在长时间内不能移动。如果你坐在电视机前，记得把遥控器放在够得着的地方。

保持奶嘴里有奶水

倾斜奶瓶，保证奶嘴里始终有奶水。如果你没有把奶瓶摆好，宝宝就会吸到空气。虽然吸入空气不会伤到宝宝，但是宝宝大哭的话会伤到你的耳膜。

给宝宝按摩背部

把宝宝摆成坐姿，放在你的大腿上，然后给宝宝轻轻地按摩背部。小心宝宝会把没有消化的奶水吐得你一裤子都是。你可以准备一条吸水布垫在裤子上，家里现在应该到处都是这样的布吧。

跟宝宝说话

如果宝宝还在老婆子宫里的时候你就已经开始对着老婆的肚子说话或者讲故事的话（别笑，很多准爸爸这么做），宝宝早就已经能够辨认你的声音了。可以利用喂宝宝的时间同宝宝说话，看看宝宝有什么样的反应。比一比，看看你和老婆谁能先让宝宝露出微笑或者咯咯地笑出声来。如果宝宝皱眉头，那么宝宝可能是拉裤裆了。

准爸爸经验之谈

母乳喂养

“马克斯出生后的头几天很艰难，因为他睡得很香，但是后来发现这是有黄疸的表现，我们应该给他喂奶。他开始吃奶的时候非常困难，因为他的鼻子不通气儿。后来我们在药店买了盐水滴鼻剂，非常有效。尽管我们读了很多书但你不可能什么都知道的，起初我还试着有规律地给宝宝哺乳，可事实是刚开始的时候完全不可能有规律地给他喂奶。一个产科医生给了我们一条特别好的建议：‘要不惜一切代价度过最初的6周’。哺乳很费力，直到后来我们发现竟然有卖乳头保护罩的（多么聪明的设计）。老婆使用了四五个星期后，宝宝便可以通过乳头正常吃奶了。”

——汤姆

4. 如果老婆决定不母乳喂养，怎么办？

母乳喂养绝对是最好的选择，既便宜又有营养。给宝宝哺乳还能够增进母婴感情。一些研究显示，母乳喂养可以降低女性罹患乳腺癌的风险。母乳喂养长大的孩子不容易过敏，成年后也不容易患肥胖症。格拉斯哥大学的一项研究表明，母乳喂养的宝宝成年后不容易超重。

医学工作者都倡议母乳喂养。但是据卫生部的调查研究显示，1/5 的妈妈会在宝宝出生后的两周之内停止母乳喂养。另外 36% 的妈妈会在 6 周之后开始用奶瓶给宝宝喂奶。世界卫生组织建议宝宝前 6 个月都要进行母乳喂养。医疗与社会福利信息中心的调查显示，宝宝出生 6 个月之后，只有 1% 的妈妈继续进行母乳喂养。

对于很多妈妈来说，母乳喂养很疼而且难以坚持。另一些妈妈害怕母乳喂养会造成乳房下垂，影响身材，所以倾向于尽早用奶瓶喂奶。还有些妈妈的奶水不足，无法满足宝宝的需要。

不管老婆作何选择，你都要尽可能地支持她的决定。产科医生会告诉你，就像梅尔文 · 登斯塔尔告诉我的一样，你要尽可能地帮助她，鼓励她为了宝宝要采用母乳喂养。

5. 如何应对公共场合喂奶的尴尬?

一些爸爸早就等不及了，宝宝怎么还不换成奶瓶吃奶。他们承认自己会嫉妒宝宝独霸老婆的胸脯。尤其是看到老婆在公共场合露出胸部给宝宝喂奶，爸爸们也感到有些不舒服。

但是要知道，老婆对自己在公共场合给宝宝喂奶，也不会感到非常自然。尽管给宝宝喂奶是很正常的事，但是任何一个女性，即使是一个三版女郎，在一个繁忙的周六早上，坐在星巴克的一个角落里，给宝宝喂奶时，都不可能会感到100%的无拘无束。如果她的丈夫，也就是你，宝宝的爸爸，能够帮助她的话，她一定会很高兴的。试着去做以下的事情：

• 如果老婆需要的话，你要靠近她，帮她挡住别人的视线，而不是走到一边，假装突然对墙上的海报感兴趣。

• 拿一块你一直以来都感到神奇的吸水布，搭在老婆的肩上。如果她需要的话，帮她擦干净任何污渍。

• 不要对别人的反应过于敏感。美国的一项研究显示，未生育的女性会因为母乳的味道而提高性欲。我明白，这个信息确实没有什么意义，但是如果有人抱怨“应该禁止公共场合母乳喂养”的话，你可能会只想着上面那个信息，而不会注意到他人的抱怨。

母乳是什么味道?

母乳的味道当然不会像刨冰一样，不过妈妈的饮食会影响到母乳的成分。一些尝过母乳味道的爸爸们（据研究称，3/5 的爸爸尝过）称，母乳有一些“甜”，而且比较“稠”，还有一点点“香草味”。

每次宝宝吃奶的时候先喝到的是解渴的前乳，然后会喝到有更多营养和热量的后乳。但是在最初的 3 ~ 4 天里，产妇的奶水一般都比较稠，此时的奶水叫初乳。老婆可能在分娩前的几周里就会时不时地渗漏出一些初乳。这种“全脂”初乳有通便的功效——会促使宝宝排出第一泡便便。初乳呈深黄色，富有营养物质，其蛋白质含量就是正常乳汁的 5 倍左右。

宝宝的第一泡便便已经攒了 9 个月之久。这泡便便甚至有专门的名字：胎粪。胎粪通常是黑色的黏稠物质，有一点像污油——就像是石油泄漏时环保组织需要洗掉的粘在海鸟身上的污油一样。虽然胎粪看起来很难看，但是基本没什么气味。不幸的是，宝宝以后的便便会很臭。

6. 宝宝的便便怎么样?

是的，很糟。而且宝宝的便便将会成为接下来几个月里你和老婆的主要话题之一。“他今天的粑粑真臭”“真倒霉，今天轮到我换尿布了”“今天的便便颜色很好”——类似的对话会成为你们的日常用语，并且代替你和老婆原来的话题，比如宿醉、电视剧等等。

宝宝排出胎粪之后，他/她的便便在质地、色泽和气味方面都会产生变化：

- 一般母乳喂养的宝宝拉的便便会比较松软，呈金黄色或暗黄色。
- 喝配方奶粉的宝宝拉的便便会很臭，较硬，呈褐色。
- 如果宝宝正在由母乳转成奶粉，那么便便会成绿色，不过宝宝患疝气的时候，便便也是绿色的（见后文“宝宝啼哭”）。

可能最让人称奇的是宝宝便便的“产量”。不同宝宝的排便次数和便便的粘稠度都不同。宝宝会充分利用他们所喝的奶水（尤其是母乳）来成长，所以他们可以几天都不排便，而是攒几天后才排一次“大的”。但是有的宝宝一天会排便 3 ~4 次。

如果你仔细观察的话，会发现宝宝在排便的时候表情会发生变化，比如皱眉或者做沉思状。尽管这不是绝对的，但是我打赌你会在宝宝排便的时候发现这样的变化。

7. 那宝宝的小便呢？

在家里给宝宝把尿是一个有意思的事情，给男宝宝把尿更是如此。

即使宝宝刚出生几天，他们已经能尿得很远了，就像防爆警察的高压水龙头那样有力。宝宝尿尿往往发生在你换尿布的那一瞬间。这是因为宝宝膀胱附近的空气温度突然变化，刺激宝宝排尿。不过幸运的是，宝宝的尿不如成年人的尿难闻。

至于宝宝多久应该换一次尿布，也是因人而异的，大约 1 天 6 次。总之宝宝每天都会小便几次。如果宝宝得了痢疾或者尿量过多的话，你需要咨询医生或者社区医院。

8. 怎么给宝宝换尿布?

一旦你决定用哪种类型的尿布，那么你需要根据下面的某种方式来给宝宝换尿布。

可换洗尿布

这种尿布号称更加环保。然而环境部食品和农村工作委员会2008年的一份报告显示，可换洗尿布，计算上清洗费用，实际上会比一次性尿布产生更多的“碳足迹”。当然，可换洗尿布也可以用后扔掉。

但是一次性尿布会增加垃圾填埋的数量。当你使用一次性尿布的时候，会发现自家垃圾袋的使用量比以前多一倍。

可换洗尿布还需要其它一些配件，比如尿布别针、尿布衬里、塑料裤。这些配件都只要买一次就行。

过去，给宝宝垫尿布像做折纸手工一样，有“宝宝折法”“T字折法”“风筝折法”。而且往往产品会附带有图示讲解，视频网站上甚至有相关视频。不过，如今的可换洗尿布跟一次性尿布一样容易使用。

一次性尿布（尿不湿）

许多家长倾向于使用一次性尿布。尽管价格贵一些，但是更方便。

不管是使用可换洗尿布还是一次性尿布，应遵循以下的原则：

- 把宝宝放到地上或者垫子上换尿布。这样，你就能保证宝宝不会脱离你的控制范围。
- 准备好必备的东西：纸巾、护肤霜、垃圾袋和新尿布。
- 把尿布解开取下来，然后封住（如果宝宝喝的是配方奶粉的话，便便会非常臭），扔掉。你给宝宝换尿布的次数越多，水平就越高（对，是这样），你可以利用旧尿布上干净的地方给宝宝擦屁屁，然后再把尿布封住，扔掉。这样还能省一些纸巾和垃圾袋。尽管一张纸巾只值一毛钱，但是你如果能够学会用旧尿布擦屁屁的技术，肯定也会感到很自豪。
- 把旧尿布扔掉（如果是一次性尿布，折起来、封口、扔到垃圾袋里；如果是可换洗尿布，都放到一个带盖儿的桶里）。用纸巾或者用毛巾沾上水擦拭宝宝的屁屁。让宝宝的屁屁保持彻底干爽，如果有隔离霜的话，涂一些。
- 把尿布垫到宝宝的屁屁下面，将尿布的前端抬起，穿过宝宝两腿之间，然后系在两边的扣上。
- 给宝宝穿好衣服，然后洗手。闻闻手上有没有臭味，有的话再洗洗。

你知道吗？

碎布条

可换洗尿布在19世纪第一次出现，当时纺织技术的革新使得吸水布得以批量生产。在那之前，尿布的材料是棉布或者碎布条。20世纪40年代，瑞典发明了一次性尿布，原理是把纸巾垫在橡胶裤子里。

9. 怎么给新生宝宝洗澡？

给宝宝洗澡也能让你感到身心放松。母婴之间可以通过化学物质——催产素的传递——增进感情，这种荷尔蒙通过母乳从母亲传递给婴儿。据说，父亲通过给宝宝洗澡，也会激发自己体内产生催产素。催产素能够帮助人类记忆陌生的面孔，所以对宝宝有好处。夫妻性生活过程中也会产生催产素，这也能够帮助双方增进感情（所以在洗澡的时候进行性生活可以让夫妻之间如胶似漆）。

好吧，言规正传，洗澡不仅能让宝宝感觉凉爽，而且能够增进你们的感情。伦敦中部大学的研究发现，如果宝宝在幼年时期不经常由双亲洗澡的话，长大后出现行为问题的可能性是其他人的三倍。当轮到爸爸给宝宝洗澡时，记住以下的基本原则：

- 洗澡水不要太烫——爸爸把肘部放到水中试水温这一传统的印象是符合实际的。因为肘部对温度更加敏感，而双手比较习惯热水（这是家里使用洗碗机之前的事了）。宝宝洗澡水的温度应该让你的肘部感到温热。
- 备好所有洗澡用品：干布、宝宝香波、毛巾、橡皮鸭，等等。记住，永远不要让小家伙单独在洗澡水里游泳，时间再短都不行。
- 一只手托住宝宝，另一只手往宝宝身上撩水。如果使用香皂给宝宝洗澡，注意不要把香皂沫弄到宝宝脸上。
- 做鬼脸或者发出怪声让宝宝感到放松（希望如此）。尽管宝宝在羊水袋里“游弋”了9个月之久，但他还是不太喜欢洗澡。
- 用毛巾把宝宝轻轻擦拭干净。往宝宝身上抹上老婆买来的随便哪种润肤产品。在宝宝尿尿或者便便之前，给宝宝穿好衣服。

10. 应对成批的访客，有什么好方法？

在这个阶段，你有一个新任务，那就是当“守门员”。因为经常会有大批的亲友来造访宝宝和妈妈。医生们的建议是，让他们来吧，但是要控制他们的造访时间，还要保证每批访客之间有足够的时间间隔，因为家里要总是有一群宝宝的“粉丝”的话，对本已经疲惫不堪的爸妈来说又是一个负担。

许多访客会问，“有什么需要的吗？尽管开口……”如果他们问，你就趁机接受他们的好意。熨衣服、做饭、推着婴儿车带宝宝到附近遛弯……所有你不想做的事情都给他们做，让他们感觉到自己确实帮到了你。

如果家里还有其他子女，让访客把他们也带上一起遛弯，因为宝宝往往是所有人的焦点，其他子女会产生失落感。对个别子女的特殊照顾可能会引起其他子女的嫉妒，会使得家庭生活长期处在不和谐之中！一定要注意。

可能此时能够提供最好帮助的是家里的女性长者。许多妈妈发现此时来自母亲甚至婆婆的建议和帮助都是十分有用的。然而，你可能会因为家庭生活中多出一个人而感觉不适应。因为很多时候，你的岳母会成为家里的主宰者。她会边给宝宝的胸口抹鹅油，边说，“我年轻的时候很会带孩子”；或者你总感觉她在屋里转来转去；或者是你每次想抱宝宝的时候，宝宝都在她怀里。

如果你对此感到不舒服的话，先试着同老婆沟通。有可能她和你想法相同，但是不想冒犯老人家或者失去她的支持。如果她和你意见有分歧，不要给她压力让她说言不由衷的话，因为她已经忙得焦头烂额了。

你们应该就获得多少亲友的帮助以及什么时候接受帮助达成一致。要让亲友们知道，你们由衷地感谢他们的帮助，但是也要告诉亲友们，你们需要开始自己学着照料宝宝。一定要有技巧，如果可能的话，设定访客可以来访的时间段；如果岳母住在你们家的话，跟她讲清楚自己的意愿，比如下班后希望家里是什么样的情况，希望能跟宝宝和老婆多相处一些时间，等等。

对于如何才能让宝宝更好地成长的决定，你需要和老婆保持步调一致，这是最重要的。跟岳母发生的摩擦，时间一长大家就会淡忘。如果现在你能够和岳母商定一些基本原则的话，这对照料下一个宝宝也有好处……除此之外，还有很多应对访客的方法：

把电话调到语音信箱模式

在语音信箱中录制一个短讯，告知对方宝宝已经出生，母婴都很健康，然后请对方留言。等你有时间的时候再回电话。

把手机调成静音模式

你的手机以及访客的手机都要调成静音。如果宝宝刚要睡着的时候被手机铃声吵醒并大哭起来，可能会使本已烦躁不堪的老婆勃然大怒。

设定时间

宝宝的吃饭时间会慢慢规律起来，所以如果有朋友要造访的话，你可以让他们趁宝宝吃饭或者打盹的时候来。当朋友们问：“我们什么时候可以来看小家伙？”你可以先参考一下宝宝的吃饭时间。

准备一个暗语

你和老婆之间可以定一个暗语，以便有客人来访的时候使用。如果客人“赖着不走”，老婆可以用暗语提示你，那么你就可以开始收拾茶杯和茶点，准备开门送客。

准爸爸经验之谈

人群控制

“在宝宝出生一周之内，不要邀请任何朋友来家里看宝宝。你的老婆会害怕访客给宝宝带来细菌，或者嫌家里太乱而且认为自己看起来也很糟。同时，朋友的造访可能会刺激到宝宝——宝宝会一个劲儿地哭闹，即使客人们走了也不能安生。我和老婆本应该好好放松一下，多亲近一下宝宝，但是最后我不得不给客人端茶送水。如果你们确实想要见某个亲友——可以去对方家，这样你们可以随时离开（有些客人来了家里几个小时都不走）。或者用婴儿车推着宝宝，跟朋友在公园见面。”

——保罗

11. 怎么带宝宝出门?

带宝宝出门见世面是个激动人心的时刻。带着宝宝出门，意味着你们原来出门时只要带上钥匙、钱包和手机的日子一去不复返了。从此以后，是出门时带上宝宝的时候了，就像进行军事演习一般，你们要把婴儿车塞得满满的。“带上这个东西吧，万一用得上……”会成为你们的家庭“格言”。

如果你带宝宝出门，可以买一个婴儿背带。如今这种婴儿背带已经成为彰显都市爸爸阳刚气质的标志。把婴儿背带绑在胸前似乎是向公众宣布：“这是我的宝宝，我是个好爸爸。过来瞧瞧，女士优先啊。”

婴儿背带有各种款式和颜色，有些还有时髦的黑色条纹，可以搭配你最喜欢的足球队服。在购买和使用婴儿背带之前，请考虑以下问题：

- 头部支撑。尽管宝宝很早就可以使用背带，但是宝宝就其身体结构而言，其实也就是一个装着 300 多块骨头的大包袱。到 4 个月大时候，宝宝的肌肉开始发育，骨缝开始闭合，此后宝宝就能支撑起自己的脑袋了。要确保婴儿背带能在各个方位支撑着宝宝。起初，宝宝应该面对你待在婴儿背带里，这样宝宝的脑袋就能在你的胸口和背带之间得到支撑。

- 买之前先试试。就像折叠婴儿车一样，使用婴儿背带也有技巧。大多数背带都采用了安全扣设计。提前试试如何正确顺利地把背带系在自己身上，然后再把宝宝放进去。

• 给背带“试驾”。在家里绑好背带走一走，试试上下楼梯、弯腰，熟悉一下背带对你平衡感的影响。最后坐下，把这个玩意解下来。在带宝宝出门之前，把宝宝装在背带里在原地试试。

• 绑在背上或者胸前的婴儿背带很适合带宝宝出门。背带能够让你和宝宝安全而且温馨地连接在一起。婴儿背巾的感觉完全不一样。婴儿背巾是斜挎包样式的，可以把宝宝背在身体侧面，有些像报童的背包。不过婴儿背巾不太适合男性。

• 带一个“爸爸袋”。迷彩包？复古挎包？运动背包或筒包？婴儿用品制造商十分了解如今新时代爸爸的品味。你可以带一个外表十分运动的时尚大背包，里面放着许多婴儿用品，比如宝宝纸巾。妈妈们叫这种包“妈咪包”，背的时候很自然，不像爸爸们那么不好意思。

带宝宝出门——光荣爸爸的必需品

准备好带宝宝见识大千世界了？记得带上以下的物品：

• 宝宝背带：如果你不用婴儿车的话，那么出门之前，把背带绑上，把宝宝放在里面。

• “爸爸袋”：换尿布时用的垫子（可选）、宝宝纸巾和垃圾袋（必选）、尿布（显然是必须的）、奶瓶、奶粉和围嘴（同上）。

• 夏天：太阳帽和日光屏（防晒系数 SPF 至少要达 50，或者完全隔离阳光）。大多数医学人士都会建议，避免宝宝受到阳光直射，因为宝宝的皮肤非常娇嫩，并且可能对防晒霜严重过敏。

• 冬天：如果天气较冷，带上羊毛帽子、备用的毯子和褥子。

- 儿童汽车安全座椅：如果你懒得携带上述这么多东西，而只是想开车带宝宝兜兜风的话，就带上吧。

12. 怎么办出生证明?

作为新生儿父母，你们的首要任务之一就是给宝宝办理出生登记。你们需要在6周之内（准确的说，是42天之内）到孩子出生的医院进行登记并办理出生证明。需要带的文件和具体的时间要咨询各自的医院。如果你们没有结婚，那么需要母亲来办理登记——如果她希望爸爸的名字也出现在出生证明上的话，你必须在场。

如果你们已经结婚，你可以自己去办理出生登记。

你需要告诉工作人员：

- 宝宝的出生日期和出生地
- 姓名
- 父亲的姓名、生日、出生地和职业
- 母亲的姓名、生日、出生地和职业

然后工作人员会发给你一份宝宝的出生证明。这份出生证明从此就开启了宝宝跟社会部门打交道的新生活。出生证明意味着，你有了一个书面证明——“我是孩子他爸”，等等。

13. 宝宝应该和大人一起睡吗?

卧室的新家具已经付了钱，老婆却暗示三个人同睡会影响你们的二人世界，这会让你感到有些恼火。但是，如果从另一个角度来看，跟你们两人创造的结晶睡在一起，是一件多么温馨的事。

很多家长承认，宝宝和他们睡在一起，但是许多专家却反对这样做，认为这样有致宝宝窒息的风险。当然，不是所有专家都这么认为。皇家产科医生学院称，宝宝跟家长同睡一张床有助于加深亲子关系，还能促进母乳喂养。

只有在两人都愿意的情况下，才能让宝宝跟家长同睡一张床。要知道，睡在一张经常水灾泛滥的床上可不是什么舒服的事情。而且，如果你经常喝酒；服用让人嗜睡的药物；或者抽烟的话——千万不能让宝宝同睡。还有，如果你因为害怕自己睡觉时不小心压到宝宝，而无法睡个踏实觉的话，也不要让宝宝同睡。最重要的是，不要让宝宝养成跟家长同睡的习惯。

你知道吗?

呼吸

宝宝平静的时候每分钟呼吸 40 ~ 50 次。等宝宝 5 岁的时候，呼吸频率会降低到每分钟 25 次左右。

14. 怎么哄宝宝睡觉?

宝宝睡觉这件事会把许多家长搞得神经紧张。这主要是因为婴儿猝死综合症（SIDS）的确切原因如今还不得而知（在英国每年有300 例婴儿猝死）。所以每到夜里，不管宝宝监控器是发出宝宝的咯咯笑声，还是保持无线电静默——都会把家长吓得够呛。

可以参考以下的建议——来自婴儿死亡研究基金会（FSID）和卫生部——当你哄宝宝睡觉时请注意：

- 保持宝宝卧室的温度在 16～20 摄氏度之间（买一个室内温度计）；婴儿床要远离暖气。
- 让宝宝仰面躺在床上。婴儿死亡研究基金会的建议称，确保宝宝顺着婴儿床的方向睡觉——这样可以避免宝宝自己“蠕动”到被子里面——当然也可以买一个宝宝睡袋，可以避免这样的情况。
- 专家还认为宝宝在出生头 6 个月里，睡在家长卧室里的婴儿床上最安全。
- 感觉宝宝胸部的温度。如果你觉得宝宝胸部温暖，那么说明宝宝的体温足够高。如果宝宝胸部很热或者出汗，你要移除一些被褥。如果宝宝胸部有些冷，加一些被褥。
- 如果宝宝看起来不舒服，发热并且打颤，那么要移除一些被褥，以便宝宝体温下降到合适温度。
- 不要在婴儿床上放泰迪熊——绝对不要在婴儿睡觉的房间里抽烟。最好从此不要在家里抽烟。

躺在沙发上，手里拿着遥控器悠闲地换着电视频道，宝宝趴在胸前酣睡——这种神奇的时刻绝对是每个新生儿父亲所梦寐以求的。当然，如果宝宝白天趴在你胸前睡觉，而且你非常清醒的话，是个不错的事情。这是一个照相留念的好时机（好像你的老婆还嫌自己不够忙，非得给自豪的爸爸照相似的）。

然而，这种和谐的画面也需要警惕。宝宝跟家长同睡一张床，或者家长在服药或者喝酒后跟宝宝同睡一张床——婴儿死亡研究基金会对这些情况的建议十分明确，那就是，千万不要这么做！也不要跟宝宝同睡一张沙发。2009 年 10 月《英国医学杂志》网站上的一份报告称，一半的婴儿猝死案例与宝宝跟家长同睡有关，而且其中因为同睡一张沙发而造成婴儿猝死的比例很大。为了避免意外，在沙发上给宝宝喂奶或者同宝宝在沙发上一起休息时要格外注意。如果你累了或者喝了酒，让老婆来照顾宝宝。老婆可以给宝宝喂奶，然后把宝宝放到婴儿床上，你可以在沙发上或者自己的床上好好睡觉。当然，不要把这作为一个偷懒的借口，老婆很快就会看穿你的伎俩。

你知道吗？

不要像宝宝一样睡觉

新生儿每天要睡 14 ~ 18 个小时，但是宝宝的睡眠没有持续性。因为宝宝饿得很快，他们的睡眠周期比成年人要短。宝宝睡觉的时候大部分时间处在浅睡眠，所以有时候你不小心脚步声过大，熟睡的宝宝都可能被吵醒，然后像汽车警报器那样嚎啕大哭。

准爸爸经验之谈

头几周

“我们把宝宝带回家。家里突然出现的这个小陌生人让我们有些不适应。老婆说自己感觉怪怪的，因为再也没法在家100%地放松了，因为心里总得惦记着给宝宝喂奶、换尿布、哄宝宝睡觉。我们两人变得神经兮兮的。我们把宝宝监控器的声音调得很大，这样我们就能听到宝宝呼吸的声音（我觉得这是个错误），所以每次女儿呼吸的声音变得微弱（宝宝有时候会出现这种情况），我们都会一阵惊慌。”

——保罗

15. 宝宝哭闹不休，怎么办?

有些宝宝哭起来没完没了，而有些宝宝却几乎不发出什么声音（后者其实是家长事后在脑海里自己虚构的宝宝，用来擦除“不堪回首”的记忆）。宝宝出生的第 1 周往往很安静。因为新生儿在出生头两周的大部分时间里在睡觉。这对于陪产假的爸爸来说实在是有些扫兴。但是，从第 3 周开始，宝宝会七天 24 小时，时刻不停地哭泣。这会对家长造成严重影响。最近荷兰的一项研究显示，哭泣的宝宝不仅会考验家长的爱，还会影响家长的心理状况——宝宝哭泣是家长罹患产后抑郁症的主要原因。

宝宝哭泣的原因多种多样。一旦你了解宝宝的行为习惯，你可以找到一些明显的原因：饿了、尿了、困了，等等。不管是对于爸爸还是妈妈，怀里的宝宝哭泣都是一个让人沮丧的状况，这会让你感觉自己的方法有问题。如果宝宝啼哭不止，有一个常见的原因是宝宝得了婴儿疝气。这种病一般出现在宝宝出生后第 2 周，在第 6 周左右到达峰值。

患儿会因此啼哭不止。许多家长会觉得应该可以用药物治疗。实际上婴儿疝气并没有药物可以治疗，但是仍有商家宣传治疗婴儿疝气的所谓药物。在安抚哭泣的宝宝的时候（不是因为饥饿或者困倦而是腹痛才哭泣的话），可以参考以下方法：

- 两人轮流：不要以为老婆安抚宝宝一定比你更在行。
- 嘘嘘：你可以把宝宝抱在怀里，自然地、轻轻地发出“嘘”声，或者轻轻唱歌。如果奏效，这说明嘘声再现了宝宝在子宫里听到的“白噪音”。当然，另一个更可能的原因是你歌喉太差，宝宝吓得不敢出声了。

- 走动：仅仅是室温或者布景的改变就可能足以安抚宝宝。
- 发出轰鸣声：不是指你，而是机器。绝望的爸爸们会使出浑身解数安抚宝宝，其中包括开车带宝宝兜风，让宝宝在行驶的汽车中睡着；打开电吹风，让宝宝听着“白噪音”入睡；甚至在婴儿房里打开收音机（不是调到某个特定的频道，而是调到两个频道之间——这样两个频道之间的电波干扰可以产生“白噪音”）。一个来自伦敦夏洛特女王医院的研究团队发现，出生 2 ~ 7 天的宝宝中，80% 的宝宝听“白噪音”5 分钟之内会睡着，但仍有 25% 的宝宝不听“白噪音”也能在 5 分钟内睡着。

婴儿疝气会随着宝宝长大而消失，不过一般会持续到宝宝出生第 12 周以后。下班回家，在家门口听到宝宝哭泣的声音，即使是最尽职的父亲，也有掉头逃跑的冲动。“坚持住”是我能给你的最好建议。夜晚是患有婴儿疝气的宝宝最难熬的时候，不过婴儿疝气会慢慢不治自愈的。

你知道吗？

宝宝其实没有哭泣……

是的，虽然宝宝的哭声惊天动地，但是严格地说，宝宝并没有“哭泣”。新生儿无法流眼泪，这是因为他们的泪腺还没有完全形成。但是出生 4 周后，宝宝的泪腺发育完全，他们就可以流眼泪了。宝宝泪腺没有发育完全的时候，无法像成年人一样用眼泪冲刷眼球，这对宝宝没有好处，所以家长要注意宝宝眼睛里有没有进入异物，让他们感到眼睛不舒服。如果宝宝频繁眨眼，你就要注意了，因为宝宝此时眨眼的条件反射还没有形成。所以，正常情况下，宝宝平均1分钟眨眼4次左右（成年人1分钟眨眼12~20次）。千万不要跟宝宝比谁能坚持不眨眼，你不可能赢的。

准爸爸经验之谈

缺觉

“老婆怀孕之前，我俩经常参加派对，所以我们不太在乎缺觉，但是我们错了。有了宝宝之后，都没有时间补觉。开始的时候，米雪儿在夜里给宝宝喂奶，我也会坐起来陪着，后来每次宝宝醒来吃奶的时候，我就会装睡——宝宝每2小时就会醒来一次。现在我还觉得有些内疚。那时候很是艰难，但是总是会过去的。”

——保罗

第六周的“警告”…… 宝宝：3~6 周

新生儿出生的头几周往往没有什么“大动作”。确实，他们的行为很有规律：哭泣、吃奶、便便和睡觉。不过，这仅仅是表面现象。宝宝现在开始有记忆力了——宝宝能够记住友好的面孔，并且能够模仿你的表情。宝宝到了第 6 周的时候，体重又会增长 1.4 公斤左右，身高（其实是身长，因为宝宝还不能站立）也会长几厘米。

新生儿家长的情绪跌宕起伏：要么是神经兮兮地担忧宝宝的健康；要么是精神亢奋，掐着自己的大腿，不敢相信宝宝已经来到身边；要么是彻底精疲力竭。如果宝宝出现一些问题或者小病，你们未必看得出来。

宝宝出生6周之后，老婆会接受复查。复查的目的是确定老婆没有出现任何产后问题，复查项目包括血压测试、检查刀口愈合情况、尿液检查。医生还会解答老婆的一些疑问。宝宝也会接受相关检查。医生会询问宝宝的体重、体长，有没有任何疾病的症状，最重要的是会给你们两人提出建议，回答你们的问题。除了比较明显的状况，比如割伤、瘀伤或窒息，如果你们看到以下症状时，应该咨询随访员：

- 肤色变化：脸色惨白、皮肤变黄或出现皮疹。
- 发烧、呼吸困难或呼吸急促。
- 呕吐：不是吃奶或者喝配方奶粉时不小心呛着了，而是真正的呕吐。
- 嗜睡、软弱无力、没有食欲。

只要你认为宝宝的表现不正常，都可以咨询。

1. 宝宝的哪些小病可以在家自行处理？

宝宝的小病小灾都十分怪异。卫生随访员和医生会给你们一些处理小病的好建议。有些小病会不治自愈，但有些就需要“心灵手巧”的爸爸医生来治疗了……对，就是你。

症状：乳痂

乳痂真是个可爱的名字，美化了这种恶心的皮疹。这是一种长在头皮上的轻度湿疹。

解决办法：在生痂的地方涂上橄榄油，隔夜之后，用洗发水把头皮洗净。

症状：格鲁布性喉头炎

宝宝如果得了这种病，咳嗽起来的声音就像海豹在吠叫。这是真的！

解决办法：这种情况是因为喉咙中出现大量黏液，可能是病毒感染造成的。跟宝宝坐在澡盆里，在浴室里冲热水澡。这样，宝宝能够吸入水蒸气，缓解咳嗽。

症状：眼屎

这是从泪腺流出的分泌物，会使上下眼皮粘黏在一起。

解决方法：用棉花球（用沸水消毒，然后晾干）沾上水，轻轻擦。母乳是一种天然的清洁剂，你应该让老婆来完成这个任务。

2. 如何知道宝宝发育良好?

现在就觉得万事大吉，只等着宝宝申请奖学金准备上大学，确实还有些早。做一些关于发育状况的检查还是有好处的——如果没有任何问题的话，把宝宝拥在怀里是多么高兴的事情啊。

• 检查握力。把你的一根手指伸到宝宝的手掌中，检查宝宝的反应和握力。宝宝握住你的手指时是否有力？你有没有心灵相通的感觉？

• 挠脚心。等到宝宝 4 周大的时候，运动系统发育到了一定阶段。如果你挠宝宝的脚心，宝宝会弯曲膝盖或者会把脚收回来。试试吧！很有趣的，这是无法跟宠物狗玩的。

• 踏步。你把宝宝摆成直立的姿势，宝宝就会做出踏步的动作，但是注意要给宝宝头部足够的支撑。不要把宝宝再往后拖回来，然后大叫："看，亲爱的，宝宝会走太空步。"

• 光线测试。宝宝出生几周之后，会把注意力放在窗子上。这不是因为宝宝想逃走，而是光源（和明亮的颜色）会吸引宝宝的注意力。试着在给宝宝穿衣服的时候玩"躲猫猫"的游戏，看看宝宝的眼睛会不会跟着你转。

• 说话。宝宝在 6 周大的时候就可以微笑了，甚至可能会发出声音来回应你。珍惜这样的时刻吧，这个时候宝宝可是没法跟你"顶嘴"的……这不会持续太久的。

3. 为什么强调宝宝需要规律的作息?

我们都有生活习惯，这些习惯都是从小养成的。宝宝出生后，许多家长很快会发现，培养宝宝的作息规律是很有好处的。刚开始的时候，宝宝的睡眠和吃奶习惯都是不规律的，不过几个月之后，通过培养宝宝的作息规律，你和老婆可以在宝宝因为饥饿或是困倦而哭泣时安抚宝宝。

通过掌握宝宝的需求模式，你们很快就能掌握宝宝的作息规律：吃奶、睡觉、再吃奶、换尿布、洗澡、入夜睡觉（希望如此）。宝宝规律作息不仅可以减轻你和老婆的精神负担，给你们更多的休闲时间，还能提醒你们宝宝是否出现状况。因为宝宝一旦养成规律的作息时间，你们就能更容易发现新状况。比如，宝宝突然哭泣，但不是因为困倦或者饥饿。（不过宝宝会出现生长冲刺期，这意味着你需要在不同时期调整宝宝的作息规律）这件事看起来是小事一桩，但是认真观察和掌握的话是大有裨益的，尤其是宝宝现在还无法同你进行语言交流。你要尽可能不打破宝宝养成的作息规律。

准爸爸经验之谈

培养作息规律

“我建议你尽早培养宝宝的作息规律。我们从第 3 周开始，晚上会在宝宝睡前给她洗澡。如果你家的宝宝和我们的宝宝情况类似的话，你们会发现宝宝哭泣/饥饿的时间基本上在晚上5~9点之间，然后会慢慢安静下来。我家宝宝在第10周的时候开始养成规律的作息，现在她从晚上7点睡到第二天5点半。我们发现哄宝宝睡觉之前，一定要给她喂足奶水——最好是在晚上6点的时候用奶瓶喂（挤好的奶水）——一定要喂饱她，如果宝宝没吃饱，就把奶瓶留在屋里，因为她睡着睡着会醒来，需要继续吃奶。”

————多米尼克

4. 老婆产后抑郁怎么办?

“婴儿忧郁”和“产后抑郁”

首先，你要避免使用“婴儿忧郁”这个词汇，尤其不能当着老婆的面使用。这个词汇是医学人士善意的用词，指的是新生儿母亲在分娩之后的几天里出现的情绪低落。新生儿母亲情绪低落往往是因为疲倦、心理创伤、激素水平波动和对新生儿的担忧。医生不会开任何处方来治疗这种“忧郁”，因为多数情况下，忧郁感在几天之内就会减轻。尽管“婴儿忧郁”这个词听起来不严重，但少数母亲还是难以从中恢复过来。

你还需要警惕一些“产后抑郁症”甚至“产后精神病”的信号。这两种情况都更为严重，不能跟“婴儿忧郁”混为一谈。产后抑郁症是一种十分严重的疾病，即使我们是“超级老公”，不论我们多么努力，也无法帮助老婆摆脱病痛。同样的，坐等老婆“突然好转”也不是可行的方法。

在大量案例中，新生儿父亲会最先发现他们的老婆出现产后抑郁症的症状。所以，这个时候，为了帮助老婆接受治疗，进而保障所有家庭成员的健康和幸福，你的表现非常关键。据估计，可能有4/5 的新生儿母亲患有一定程度的产后抑郁症。产妇生产之后就可能立刻出现产后抑郁（体现为“婴儿忧郁”），然后会逐渐加重。另外一种情况是，产后抑郁会在产妇生产后的几个月慢慢显现。许多新生儿母亲认为，丈夫休完陪产假开始回公司上班的最初一段时间是她们最难熬的时候。

如何判断老婆是否出现产后抑郁症?

产后抑郁症有很多种形式：周期性的情绪波动，来得快，去得也快；或者几周、几个月甚至几年的精神痛苦、哭泣和自我怀疑。

如果这个时候你想“逃跑”，倒也不奇怪。但是，自然母亲好像能够料到你的想法一样，在人类的进化过程中，自然母亲使得男性在老婆生产后不会轻易出走。在老婆产后的几周内，你的睾丸酮激素水平会骤减30%。专家认为，这样我们自然就会更加温和，因为责任感，我们也不会轻易为无谓的事情冒险，更不会在宝宝出生之后或者老婆出现产后抑郁症时离家出走。

当然，睾丸酮激素水平的降低不能保证所有父亲都忠于职守——但是，在大多数情况下，如果丈夫能够展现出体贴和照顾，大多数出现产后抑郁的新生儿母亲都能顺利康复。

在有些比较极端的案例中（据估计有10%），新生儿母亲需要医生或者医学专家的帮助。受到产后抑郁症影响的不仅仅是新生儿母亲本人。老婆会对宝宝漠不关心；对你充满敌意；由于需要承担更多照顾宝宝的任务，她还会嫉妒你的“自由自在”。你可以通过以下症状判断老婆是否出现产后抑郁：

- 情绪低落，她会向你表示自己心情不好（嗯，很明显的标志）或者对宝宝没有兴趣。
- 时常哭泣、易怒（你比平时更容易惹恼她）。她可能会说自己“勉为其难”，觉得自己当不了母亲。
- 健忘、食欲不振、没有活力。

这些迹象你是可以观察到的。但是往往由于患有产后抑郁症的母亲怕被认为不称职或者不够格，所以她可能会强作欢颜。你需要经常跟老婆进行沟通，了解她的真实想法和感受。

问问老婆，看看自己是否需要在家中多帮些忙。

多陪老婆。你需要放弃一些社交活动，比如至少在这几周，不去参加通宵牌局。如果她本身已经感到情绪低落，而你又在外面发短信告诉她晚上晚回家，她可能会更加沮丧，因为这样她只能一个人待在家里，守着一个不会说话的小宝宝。

安排老婆跟朋友见面，去公园散心，去海滩散步，多出家门。如果是医生的话，他/她也会在老婆的康复计划中要求老婆多出门散心。你可以提前这样做，鼓励老婆离开宝宝 1～2 小时，去见见朋友，或者请一位信得过的保姆来家里帮忙。

卫生随访员可能会询问老婆的情况，然而，因为害怕被别人认为是失败者，老婆可能不会向随访员实话实说。这时候，你需要采取主动，告知卫生随访员你对老婆的担忧。当然，你需要谨慎行事，因为此时老婆的心理状态已经十分脆弱，她会觉得你是在她背后说坏话，告黑状。但是，为了老婆的健康，宝宝的成长和你自己的心理健康，要勇于向卫生随访员寻求帮助。

不要认为你会帮倒忙。加拿大的研究发现，如果男性积极帮助患有产后抑郁症的新生儿母亲的话，这些女性的抑郁症状会有所减轻。据国家育儿信托基金会发布的调查显示，父亲可以充当母亲和宝宝之间的一个“缓冲器”，减少母亲的抑郁对宝宝的负面影响。但是老婆的抑郁症也会影响到你。

你知道吗？

宝宝的哭声

宝宝的哭声可以达到 110 分贝。尽管不如救护车警报器的声音响亮（120 分贝），却超过了电钻的声音（100 分贝）、车水马龙的街道的声音（85 分贝）和电话铃的声音（80 分贝）。

5. 新生儿爸爸也会得产后抑郁症？

会的，但是新生儿父亲的抑郁症症状同女性不同，而且数据显示男性的患病率较低。这种病在有些地方叫做“爸爸抑郁”，在英国，每25位新生儿父亲中有一位会患上这种病。丹麦的一项关于男性抑郁症的研究显示，生头胎的父亲比有经验的父亲患病率高一倍。丹麦的研究人员注意到患有产后抑郁症的父亲有以下症状：

- 觉得缺少来自老婆的支持和帮助。
- 感到双方的关系从最开始就不是特别牢固。
- 感到双方就怀孕期和婴儿抚养期的问题存在意见分歧。

男性是否会出现产后抑郁症仍有待讨论，但是毋庸置疑的是，你确实会感到很大的心理压力：生活方式发生剧变；责任更加重大；目睹老婆分娩而产生心理阴影；缺觉；生活开支增加；缺少性生活；老婆不再关注你，等等。

在宝宝出生的头几个月，你会感到疲惫、易怒、头绪全无甚至后悔。看到宝宝一个人霸占老婆的注意力，你还会觉得嫉妒、性饥渴和憎恶。专家称，你可能不会承认这是抑郁的表现，也不会向医生寻求帮助，但是千万要避免误入歧途。借酒浇愁看似方便，却无法解决问题。与其酗酒，不如这样做：

- 同老婆沟通，谈谈你的感受。如果有亲友愿意帮助照看孩子，一定要接受帮助，你和老婆可以乘机出去散心。到了新的环境，你可能更愿意跟老婆交流，这在家里是做不到的。
- 同其他父亲沟通。在网上育儿社区，爸爸们可以在匿名的论坛上宣泄恐惧感和担忧。如果你有当初一起参加产前学习班其他爸爸的电话，可以打电话约出来见面。你们的问题可能不一样，但是互相倾诉一下也好。

- 同上级“讨价还价”。如果你苦于在新生活和工作中寻求一个平衡点，而且这种纠结加重了你和老婆的矛盾和绝望感，你可以同人力资源部门进行沟通，看看有没可能暂时在家里完成工作或者采用弹性工作时间。

你知道吗？

缺觉

宝宝出生的第一年里，父母一般会比以往缺觉 400～750 小时。

准爸爸答疑

她在担心什么……感觉自己很失败

对于一个有工作的女性来说，初为人母会从很大程度上打破原有的生活。据乔·里昂说，出现这种状况是因为，老婆在工作的时候，知道自己该如何做，并且能够得到积极的反馈。但是她现在被一个小家伙所支配，而且这个小家伙完全是随心所欲——睡觉、吃奶，都“自作主张”。

新生儿母亲往往看不到自己的价值。她会觉得疲惫，情绪波动，并且会把自己同其他母亲作对比，把自己的宝宝同别人的宝宝作对比。她怎么才能知道自己是否成功？她为宝宝换尿布、喂奶，忙碌了一天之后，心里有多少满足感？就业专家里昂指出，尽管专家书籍会指导母亲应该怎样做，但是宝宝往往不合作。这样，母亲就会质疑自己的能力，认为自己很失败。

等她重返工作岗位的时候可能会不如原来自信，更关键的是，她可能觉得这份工作不如宝宝出生前有吸引力了。如果她改变计划，你要有心理准备。在很多案例中，母亲一想到自己得把心肝宝贝托付给别人照料时，就很可能会重新考虑自己的职业规划。

只有你知道老婆的决定会对家庭生活造成什么样的影响。可能你也非常想让老婆放弃工作，当一个全职母亲。不过这意味着家庭收入将大幅减少。

另一方面，你和老婆都希望生活尽量保持原样。你们不需要在宝宝出生头几周就做出任何决定。里昂建议，你现在要做一个倾听者，支持老婆的想法。试着站在老婆的立场，从老婆的角度看问题，最重要的是，不管是在老婆怀孕时、分娩时还是育儿期，你都要鼓励她，让她自己做决定，这才是最好的方式。

往昔的父亲

800%，这个数字是1975年到1997年之间，父亲照顾宝宝的平均时间的增长率。在你刚出生的时候，父亲们在工作日照顾孩子的时间大约为15分钟。到了20世纪90年代末，这一时间达到了2小时。

6. 上班以后，怎样帮助老婆带孩子?

你可能在数着陪产假剩余的天数，就像一个囚犯在监狱墙上划竖道子计算出狱的日子一样。也有可能，刚刚习惯于帮助老婆照顾宝宝，你的陪产假却要结束了。

这段过渡期是个很大的挑战。如果老婆采用的是剖腹产分娩，她现在可能还行动不便，无法完成一些活动——或者老婆出现产后抑郁，或者仅仅是担心自己和宝宝两人孤零零的留在家里——这时候，你们两人必须齐心协力，在工作和家庭生活中寻求一个平衡点。

在陪产假的时候，你可能已经积压了大量工作，而且这些工作需要尽快完成。这样，一方面你需要回家后成为老婆的好帮手，另一方面周一得回到工作单位面对大量工作，加班加点。这段时间会尤其艰难，你会面对重重压力：保证工作进度，赚足够的钱，以供养宝宝，并且弥补老婆产假工资缩水造成的收入降低。

如果家庭生活还一团糟的话，你会感到压力更大：比如老婆生产过后出现心理问题或者宝宝晚上睡眠不好。宝宝出生的头几个月对于家长来说是最艰难的时候。乔·里昂指出，如果一个年轻爸爸既要工作，又得照顾家庭，却无法得到足够的睡眠和来自老婆的支持，他会非常挣扎。有些爸爸甚至会猜忌或是幻想，觉得老婆在家里很轻松，整天就是喝喝咖啡，跟宝宝玩耍。

里昂建议，在你们决定怀宝宝之前，你就需要对当前的工作和娱乐重新审视。你需要决定哪些是最重要的。这些活动符合你的性格吗？这些工作和娱乐在宝宝出生后还必须照常进行吗？宝宝出生后，除了整个人生的改变之外，你还需要做一些短期的调整，比如睡眠调整，以及适应新的生活。里昂说，认识到这些是非常关键的。为了寻求一个平衡点，并且确保你和老婆的话题不总是围绕着宝宝，请参考下面的一些建议：

- 提前计划。准备好面对变化，同老婆谈论可能遇到的冲击，同朋友和同事敞开心扉，聊聊你认为宝宝出生后会发生什么事情。

- 每周娱乐一次。确保自己还能参加娱乐项目。如果你放弃一切娱乐，你最后会觉得愤愤不平。

- 保持沟通顺畅。里昂相信，要想在工作和家庭生活中寻求一个平衡点，保持沟通的顺畅至关重要。你需要了解上级对弹性工作时间的立场，这是非常关键的，这样有利于同他们商讨相关问题，而且如果你采取弹性工作时间的话，也容易得到理解。

- 研究自己的工作模式。考虑每周有一到两次打破自己的工作模式。如果你有四天都加班加点，那你要确保第五天能够睡个好觉。

- 保持积极的态度。要对自己做的事情充满信心。如果你既想当一个好爸爸，又想把工作做好，就不能总是找借口，认为自己无法胜任或者因此表示歉意。

- 保证充足的睡眠。同老婆沟通好，保证每周都能睡几个踏实觉，以保证正常工作。作为回报，等到周末的时候，你可以照顾宝宝，让老婆补觉。如果家里还有空房间或者宝宝还没有住进婴儿房的话，你可以利用一下这些房间。不过，老婆很有可能会和你争抢……

我能采用弹性工作时间吗？

在英国，尽管法律一再修改，已经允许有 6 岁以下孩子的家长申请弹性工作时间（上级会强烈建议你不要这么做），但是在一些工作单位，还是有很多人忌讳申请弹性工作时间（也就是在家工作）。许多年轻爸爸也忌讳申请弹性工作时间，他们不希望被同事看作是“临时工”，或者害怕这样会影响自己的升迁。如果你想申请弹性工作时间的话，你一定要考虑以下问题：为什么你的申请能够得到上级的首肯？

- 你如何保证弹性工作时间行得通？
- 对别人有什么影响？对你的上司有什么影响？对你的下属有什么影响？
- 对你的客户会产生什么样的影响？
- 你如何克服这些影响？

试着同团队中的其他成员进行初步沟通，听听他们的意见，看看能否行得通，会遇到哪些障碍？里昂建议，在做出正式决定之前，你一定要跟上司充分沟通。要大体了解一下上司的想法和反应（可以在新生儿庆生酒会上探探口风）。看看上司认为什么样的方案可以行得通。

对自己的能力要有正确的认识，不要对自己的期望过高。要想办法在日常工作中挤出更多的时间。里昂的一个客户说，他知道自己的工作很繁忙，需要每天工作到午夜，所以他不可能在晚上见到宝宝。但是，他成功地说服了上司允许他上午 10 点才开始上班，这样他就可以挤出时间陪老婆和宝宝了。

我应该接替老婆照顾宝宝吗？

在老婆怀孕的时候，你可能说过宝宝出生以后要改变工作方式以适应新的家庭生活。但是现在，在家里和宝宝相处一段时间之后，你可能会改变主意。在你看来，当“全职爸爸”完全是疯子才会做的事情。或者，你也有可能很享受自己在陪产假期间和周末时候的角色，可能会希望更进一步。

据“乐购”婴幼儿俱乐部在2009年的一项调查显示，老婆全职工作而自己在家照看宝宝的爸爸从2008年4月时的192，000位增长到2009年的342，000位。

新爸爸在家照顾宝宝主要是出于经济上的考虑。如果你的老婆比你挣钱多得多，你会发现，等到老婆重返工作岗位的时候，育儿的费用已经用掉了你大部分的收入。要知道，宝宝上学之前，必须有人照料。保姆、奶爸、小工、护工还有日托班，没有一个是免费的。但是，另一方面，在宝宝上学之前，如果你一直保持受雇状态的话（即使你或者老婆认为你的工作“薪水微薄”），要比等宝宝上学以后你再重新找工作要有优势。

一些全职爸爸称自己这么做非常值得，从中获得的满足感是任何工作都无法给予的。你可以看着宝宝长大，塑造宝宝的性格，参与到宝宝生活的方方面面，还有可能成为宝宝的家庭教师。所以，当全职爸爸受到越来越多新爸爸的推崇。

但有些新爸爸却无法胜任。有些人仅仅尝试了一个周末，就感到十分厌恶。有些不得不当全职爸爸的人则疲于应付，哀叹自己缺少零花钱，没有“社交生活”，说当全职爸爸也不像其他工作那样有“目的性”。

如果你敢于挑战这个工作，并且相信当全职爸爸对你和老婆都有好处的话，在决定之前，请先参考以下的一些因素：

- **地位的改变**。工作带来的满足感，公司里的八卦、收入，跟同事一起打高尔夫，吃吃喝喝的“研讨会”——作为一个全职爸爸，这些东西你都无法获得。你如今不再上班，而是在家里给宝宝换尿布，这意味着你会失去很多原来上班时都没有意识到的东西。如果别人问你做什么工作，你准备好告诉他们“我是一个全职爸爸”

了吗?

• **焦虑**。成为一名全职爸爸，尽管没有了工作上的压力，但是宝宝也会让你十分费心。宝宝发生事故、生病、长牙还有夜里不睡觉，都会加重你作为全职爸爸的心理负担。一些爸爸因为害怕失去养老金或者害怕老婆也会在某天失业，所以不会选择放弃工作去当全职爸爸。

• **与世隔绝**。许多新生儿妈妈都清楚这样的感受：除了照顾宝宝之外，鲜有跟人交流或者进行社交活动的机会。尽管你一般会在宝宝 1 岁大时才接替老婆，但是在家里的时光并不总是温馨快乐的，尤其是如果家里连生了 5 个宝宝的话。

• **在家工作**。你在家照顾宝宝的同时还想工作。这可没有听起来那么简单。现在，宝宝几乎需要你无时无刻的照顾。记得吗？有时候你从公司回家，发现老婆忙得连厕所都没有时间上，更别说做别的事情了。今后，你也许可以进行“远程工作”，但是不要期望自己能够在当全职爸爸的同时还能按时完成工作任务。

作为一个全职爸爸，你要知道，在宝宝小的时候，你身上只装一把家门钥匙是没法带宝宝出门的。你要列一个购物单，还要列一个随身物品单。头几个月里，你总是会买错东西，比如买到过期的食物。老婆会因此跟你吵嘴。在家带宝宝也不是件轻松的活。你会整天忙得四脚朝天，因为宝宝还小，你得不停地喂奶、清洁——清洁你自己、宝宝和屋子。

当时我和宝宝最好的交流时间是我坐在马桶上，而宝宝躺在身边的摇篮里，因为你永远不能让宝宝离开你的视线。

准爸爸经验之谈

全职爸爸

“艾米6个月大的时候，我开始在周末照顾她，因为老婆周末的时候有课。我当时正好一年没有工作。你会变疯的。我的体重增长了，而且只要老婆在家，我就会喝点儿酒，但是跟艾米在一起的时光非常美好。你可能会觉得有些奇怪，因为你是公园或者幼儿游戏小组里唯一的男人，不过如今越来越多的爸爸开始这么做了。我绝对不会错过看着艾米成长的机会。”

——乔恩

“我当全职居家爸爸的时候，我们家住在一个没有花园的公寓的第一层。我开始以为一切都会很棒。我可以教宝宝认识飞机，趁下午茶的时候领着他/她边吃着冻鱼条，边认识北边的工业遗址。但是一旦真的开始当全职爸爸，我发现这非常困难。睡觉最重要，如果你无法给身体充电的话，你就没法像一个正常人一样活动。我有一个聪明的朋友，他告诉我，如果一个普通人连续三天没有睡一个踏实觉的话，他的精神就会崩溃。但是在4年时间里，我和老婆只睡了9个晚上的踏实觉，昨天晚上算一个。我们竟然熬下来了，真应该挂个彩旗庆贺一下。”

——李

“我原来没有考虑过当全职爸爸，但是权衡了各种选择之后——我的老婆比我多挣一倍，而且她热爱她的工作，我讨厌自己的会计工作——所以她的产假一结束，我就开始当全职爸爸。刚开始的时候，我感到焦虑，犯了些错误，不得不在老婆上班的时候给她打电话，问了一些弱智的问题。但是现在儿子已经20个月大了，我们是最好的伙伴。我们一起做家务，一起玩，一起上游泳课。儿子睡觉的时候，我会帮朋友做一些文书工作。当全职爸爸不容易，不是每个人都能做得了的，但是我觉得自己挺幸运的。”

——格雷格

你知道吗？

没有爱的感觉

美国的精神病专家研究发现，大约40%的新生儿父母会在某个阶段对自己的宝宝表现出冷漠。所以，如果某些时候，你对那个只会哭闹、吃奶的“熊孩子”厌烦的时候，不要有罪恶感。这是人之常情。但是，这段时间可不能太长。

7. 新生儿庆生会？

除了婚礼、葬礼和体育盛事，新生儿庆生会是另一个英国男人聚会的好理由。酒会没有固定形式。如果你在产前培训班里跟其他爸爸处得不错的话，可以请他们参加，这是一个交流经验的好机会。不过一般来说，这种酒会一般是一群好朋友在酒吧喝酒或者在家里的后院烧烤。通过新生儿庆生酒会，新生儿父亲会很快明白一个事实，那就是宿醉的情况下照顾宝宝是多么头疼的一件事。

8. 我们现在可以过性生活了吗？

是不是很怀念老婆怀孕前两个人的“性福时光”？即使你们不像兔子那样急于传宗接代，你们10个月前的性生活频率也肯定比现在要高得多。

据一份调查问卷显示，1/7的新生儿母亲承认她们在怀孕期和生产后至少有一年没有性生活。老婆的身体需要痊愈之后才能进行性生活。你们之间可能还需要一些心理上的调节，因为有时会有因目睹老婆分娩而给男性留下心理阴影，造成性欲缺缺的情况。

开始的时候，你们应该慢慢来，尤其是如果老婆还处在哺乳期的话。不仅是因为她的乳房会酸痛，而且她的阴道也会因为哺乳而比较干涩。如果是这样的话，你们可以在性生活过程中使用润滑剂。老婆的乳房在受到刺激之后可能会渗漏出乳汁，你要有心理准备。据称，许多女性在生育第一个孩子之后会觉得性生活质量变得更好。

但是要记得做安全措施。如果你不准备在宝宝还不能走路的时候就让老婆再次怀孕的话，记得使用避孕套或者其他避孕药具。女性在生育之后的很短时间内就可以再次受孕——在月经没有重新开始的时候就可以受孕。老婆可能没法使用一些避孕器具，也不能在哺乳期间吃避孕药。那暂时先使用避孕套吧，要不然你在不久之后就又得重新阅读本书了。

9. 一段征途的结束，另一段征途的开始

在本书的一开始我就说过，当爸爸是一辈子的事情。你在这段征途上只迈出了最初激动人心的几步。你和老婆正处在人们戏称的“第四个孕期”，希望事情都在按你们的计划进行。

有一件事情你一定会注意到：你骄傲地把宝宝放在胸前的背带里，或者把宝宝放在婴儿车里带到外面散步，人们会说：“哇，宝宝在这个年龄最可爱了。”这其实是一个潜台词，意味着一旦宝宝能说能跑，情况就会急转直下。

而我却发现情况并非如此。等我的宝宝蹒跚学步，到现在长成6岁的男孩，他给我和老婆带来了无限的快乐和幸福。不过这不意味着我就不会嫉妒你，因为你提前就能掌握这么多育儿知识。

就像所有的征途一样，会有挫折、伤痛，它会让你付出一些无法料到的代价，也会让你在颠簸中呕吐。现在宝宝还处在“可爱的年龄”，对你和老婆来说是这样，对宝宝自己也是这样。宝宝在醒着的时候会受到你潜移默化的影响。你对宝宝付出的爱和时间会让你和宝宝之间建立起一辈子的亲情。

我希望你觉得这本书有用。

准爸爸经验之谈

第四个孕期

我们终于熬过来了。头几周非常艰难，所以如果你几天里都没有做别的什么事情或者出门的话都不要在意。你们会熬过去的——经历的每分每秒都十分值得。”

——查理

“有宝宝在一起是一件非常美好的事情。他从出生的第一天起，就表现得十分好奇和专心。我开始以为宝宝除了吃奶、便便和哭泣之外什么都不会。当然这些他都做，但是只要他朝我无意识地瞟一眼，我就会感到心都要融化了！”

——马修

“宝宝刚出生的几周十分艰难；宝宝在做梦的时候会微笑，看来他做着甜美的梦，而不是噩梦。家里有一个小家伙是如此得美好。不过，我感觉自己在宝宝刚出生的第6、7周里就像一个机器人——不停地洗衣、洗碗、做饭、打扫——我尽可能帮助老婆。老婆当时在努力给宝宝喂奶，并且在调整情绪，因为她得为这个小生命负责。”

——汤姆

最后的赠言：新爸爸“十要十不要”——新妈妈的奉劝

最后一件事！在撰写本书的时候，一些新妈妈参加了问卷调查。新妈妈是新爸爸能力最专业的评判者，她们最有发言权。希望这“十要十不要”是一些有益的建议，能够让爸爸们洞悉妈妈们的想法。

祝大家好运！

“**要换尿布。** 我丈夫一直在给宝宝换尿布，宝宝出生头两周里，我只给宝宝换过4次尿布！”

“**不要跟宝宝的爷爷奶奶或是姥爷姥姥站在一条战线。** 要支持老婆的所有决定，尤其是在宝宝刚出生头几周的艰难时期。”

“**要伺候老婆按摩。** 在我临产宫缩的时候，老公把一个热水袋按在我的腰部，他太棒了，热水袋让我舒服多了。”

“**不要觉得我们愿意在白天哄孩子，晚上打扫屋子之后还听到丈夫叫苦连天。** 如果男人有这么做的想法，可要小心菜刀冲你飞来……”

“**要理解老婆。** 你到家的两分钟前她才坐下，而且这是她一整天里的头一回。”

“**不要因为宝宝昨晚饿了的时候把你吵醒而在第2天早上喊累。** 要知道妈妈还得给宝宝哺乳，你可以继续睡觉，而她还得直挺挺地坐在那里一个半小时，逼自己保持清醒，甚至都想用火柴棍支起眼皮，以免自己睡着，把宝宝摔着。”

“要容忍老婆在你身边的床上给宝宝喂奶， 因为她可以在喂奶的同时小憩一会儿。如果你看着不舒服，自己到别的屋去睡觉。”

“不要说‘看，家里乱成了什么样子’。”

“要帮助老婆在夜里给宝宝喂奶——不过我从来没有要求丈夫帮我，因为我不知道怎么跟丈夫说。”

“不要说这样的话——‘我刚才在浴室里跟镜子聊天来着，它说好久没有见到你了！’ 不像我丈夫，我没法每天早上对着镜子照 45 分钟，我得一直看着宝宝！我经常连上厕所的时间都没有！”

“要同情老婆。 老婆得经常醒来喂宝宝，她有时候也会抹眼泪，觉得自己应付不过来。要知道，你在睡觉的时候，她得照顾哭闹的宝宝。抱抱她吧，把宝宝接过来，让她稍微清静一会儿。”

“不要大叫、谩骂，说她笨，抱怨缺觉（毕竟，她比你缺觉）， 告诉她滚开，好像你是唯一缺觉的人一样。最重要的是，不要说‘你缺觉没什么，我还得上班呢。’这会让老婆很恼火。她得经常醒来照顾宝宝，所以你可以适当帮帮老婆，让她清静一会儿，然后她会继续照顾宝宝，你就可以继续睡觉了。”

“要从一开始就照顾宝宝，尤其是在夫妻双方都不太明白该如何做的时候！ 慢慢地，通过照顾宝宝，你才会越来越有信心，也会感到宝宝表现得很好。我觉得，如果没有从一开始就照顾宝宝的话，之后你会更加难以参与其中，因为你会没有信心，不知道该怎么做。

这样的话，你就会落后。所以在宝宝刚出生的头几周，夫妻两人要齐心协力照顾宝宝。”

“不要在老婆分娩前说‘你不会希望我在产房里陪你的’‘我会碍事儿的’，这样的话她最后不得不一个人在产房分娩。”

“要做些家务，比如做饭，带宝宝出门遛弯，打扫屋子，洗衣服……老婆给宝宝喂奶的时候，给她拿些吃的喝的。”

“不要坐在老婆旁边的沙发上，把电视放到体育频道，把遥控器放到她够不着的地方，然后自顾自到别的屋子。这样老婆不得不在喂宝宝的时候看40分钟无聊的足球比赛，而你又听不到她叫你。”

“要照顾老婆。当时我刚生了宝宝，想洗个澡，但是我太累了，因为生宝宝的时候流了很多血，所以很虚弱。我丈夫就帮我洗澡，他扶着我到浴室，然后温柔地帮我洗澡。从此以后，我觉得他是世界上最棒、最性感的男人。”

“不要忘了老婆在接受剖腹产后的几周之内，都不能开车或者提任何超过宝宝重量的物体。所以你一定要考虑周到，提前把需要的东西准备好。”

“要尽量少让亲友来家里造访；给老婆买礼物；把在医院用过的东西洗干净、晒干、熨烫；告诉老婆，她表现得很棒；尽量多申请一些陪产假，多陪陪老婆和宝宝。”

“不要在宝宝一出生之后就去度假。如果你这么做的话，下次你给老婆打电话解释自己没时间陪宝宝的时候，预备着受到老婆的责骂吧。”

“要拿上垃圾袋再靠近老婆，如果她在分娩的过程中用一种奇怪的表情看着你……如果你不这么做的话，不要怪她吐你一身，如果你责怪老婆，只会让她吐得更凶。”

“不要告诉别人你的手多疼，因为老婆在分娩的时候死死地掐着你的手。”

“要说，‘我觉得你的肚子越来越小/平坦/扁了’，在老婆分娩后要这么说，之后也要经常说。”

“不要兴奋地把老婆刚分娩完时的照片发给所有的亲友，尤其是照片的场景里有露出的肢体和血迹。”

“要给刚出生的宝宝照一大堆照片——老婆当时可能会在止痛药的作用下昏昏沉沉，忘了这么一回事。但是事后她会感激你的。”

“不要宝宝一出生就出去呼朋唤友，开庆生酒会，然后在第2天早上赶回医院看望老婆。那时候，如果你还有脸跟老婆说自己宿醉头疼的话，这位肚子上留着刀疤，胸部还渗着奶水的女人可不会同情你。”

“要陪老婆一起去见医生，并且向医生提出所有你和老婆讨论过的问题，因为此时老婆会比较健忘。”

“不要在老婆刚花30个小时生完宝宝，去洗澡的时候，偷吃她的茶和面包——任何情况下都不要。她会因此记恨你三年。”

“要在返回工作岗位后的第一天就给在家里的老婆打电话。老婆一个人在家里带宝宝会感到很孤单——让她知道你在想着她。”

“不要每次宝宝哭的时候就跟老婆说‘他/她肯定是饿了’，

别以为这样就算是给老婆帮了大忙；还要记得，不要以为老婆是女人，她自然就应该知道怎么照顾宝宝。”

“要洗衣服。这包括你需要把衣服放到洗衣机里，洗完后晾到绳子上，干了之后取下来，然后叠起来收好。”

“不要对老婆说，‘这是因为你的激素水平不稳定造成的’——即使真的是这样。也不要在老婆分娩的时候问她‘你疼吗?’”

感谢“妈妈网”（mumsnet. com）允许我转载这些充满智慧的语言。

孕产术语自查表

妊娠有一套专门的术语。

这些术语不是为了迷惑你，但是鉴于你现在的心理状态——疲惫、受惊——你可能在面对这些术语时会不知所措。在9个月的妊娠期甚至是宝宝出生之后，你可能会经常听到以下的一些术语：

Alpha－fetoprotein（AFP）**阿尔法胎甲球蛋白**——这是宝宝在胎儿期产生的蛋白质。在15～18周之间的时候，医院可能会进行AFP采样，以检查胎儿是否会出现生理缺陷。

Amniocentesis **羊膜穿刺术**——这项检测通过抽取采集羊膜中的液体，来判断胎儿是否患有基因疾病，如唐氏综合症。

Amniotic Fluid **羊水**——胎儿在羊水中生长。在产妇分娩时，羊水会破裂，加速分娩进程。

Amniotic Sac **羊膜**——羊膜位于产妇的子宫内，它包裹着胎儿和羊水。

Anaemia **贫血**——1/5的准妈妈会出现这种情况，这是指体内产生的血细胞数量减少。由此造成的铁元素缺乏会影响胎儿的发育，医生会建议产妇增加铁元素的摄入。

Antenatal **产前**——怀孕之后，分娩之前的时间段。

Apgar Score **阿普伽新生儿评分**——宝宝一出生就要接受的医学检查，包括肤色、心率、呼吸力、肌张力和反射应激性的检查（这个评分方法是以发明者的名字命名的）。每项指标的得分在0～2分之间。宝宝会被检查多次。最高分10分（每项最高2分）。大部分宝宝的得分在6~8分之间。

Braxton Hicks **布拉克斯通·希克斯收缩**——产妇的身体在为分娩做准备时发生的假宫缩（肌肉运动）。

Breech Birth **臀位分娩**——这是指胎儿分娩时双脚/臀部先娩出，而非头部先娩出。为了避免可能出现的并发症，医生一般会建议产妇采用剖腹产。

Caesarean Section **剖腹产**——通过外科手术在产妇腹部切开一个口子，把胎儿娩出。一般在无法进行产道顺产时采用剖腹产（参考臀位分娩）。

Cervix **子宫颈**——胎儿在分娩过程中经过的子宫基部肌肉组织。“子宫颈张开宽度”是指这些肌肉组织的舒张程度，医生会据此判断胎儿是否快要降生。

Chorionic Villus Sampling（CVS）**绒毛膜绒毛采样**——检测胎盘（宝宝在子宫的养料来源）组织。相当于早期羊膜穿刺检测。这项检测可以获知胎儿是否有健康问题。

Colic **婴儿疝气**——宝宝会因此哭泣，并且会哭得很凶，每天至少会哭三个小时，每周三天，至少三周。

Colostrum **初乳**——这是指宝宝刚出生时，妈妈产生的奶水。其中包含抗体，可以增强宝宝的免疫系统。

Contractions **宫缩**——子宫肌肉收缩，以便把胎儿推出子宫颈。

Cot Death **婴儿猝死**——也被称作婴儿猝死综合症（SIDS）。婴儿猝死的病因尚不明确，但是医学人士建议你遵循一些健康的宝宝睡眠习惯。

Couvade Syndrome **拟娩症状**——也被叫做“妊娠伴随综合征”，这是指准爸爸出现一些类似怀孕的症状。

Dilation **扩张**——子宫颈扩张，以便胎儿娩出。

Doppler **多普勒**——用以检查胎儿心跳的扩音器。

Doula **导乐**——独立的分娩“助手”，可以提供产前、产中和产后协助（协助产妇，不是协助你）。

Down's Syndrome **唐氏综合症**——先天性疾病，能够影响儿童的智力和生理发育，可以通过孕期羊膜穿刺术提前确诊。

Ectopic Pregnancy **宫外孕**——这是指受精卵没有到达子宫，而是在输卵管开始发育，1% 的产妇会出现这种情况。

Embryo **胚胎**——胎儿在孕妇受孕后 8 周内的学名。

Engagement of Baby's Head **胎头衔接**——此时，胎儿的头部已经下降到了产妇的盆腔。马上就要分娩了！

Entonox **笑气**——麻醉混合气体，由 50% 的氧气和 50% 的氧化亚氮组成。

Epidural Anaesthesia **硬膜外麻醉**——分娩时使用的止痛剂。如果产妇选用的话，会通过针管把药剂注射到产妇脊柱的硬膜外腔体。

Episiotomy **外阴切开术**——分娩时的小手术，用于扩大产道开口。

Estimated Delivery Date（EDD）**预产期**——胎儿顺产的预计日期。

Expressing（milk）**挤奶**——把母乳挤入奶瓶中给宝宝喂奶。一般会用专门的挤奶器。

External Cephalic Version（ECV）**胎儿外转术**——产科医生通过人工手段把处于“臀位”的胎儿在子宫内调转，进入正常分娩姿势。

Foetal Heart Monitoring **胎心监护**——在分娩过程中监测胎儿的心跳。

Foetus **胎儿**——宝宝在孕妇体内第八周以后的学名。

Fontanelle **囟门**——宝宝头顶的颅骨没有闭合时的柔软区域——

囟门的作用在于减少产妇分娩时的疼痛，因为宝宝的头部可以变得更具柔韧性。

Forceps **产钳**——钳状工具，用于辅助产妇分娩——具体来讲是把胎儿的头部牵引出来。

Foremilk **前乳**——每次哺乳时最先流出的浓度较小的奶水。

Fundus **宫底**——胎儿在发育初期时的臀部。胎儿的体长是头部到宫底（臀部）的距离。

"Gas and Air" **麻醉混合气体**——见笑气。

Gestation Period **妊娠期**——胎儿在子宫内发育的全过程。

Hind Milk **后乳**——脂肪含量高的奶水，有助于宝宝增重，并为宝宝提供必要的大脑营养物质。

Home Birth **在家中分娩**——产妇在家中，由产科医生协助的分娩。

Hyperemesis Gravidarum **妊娠剧吐**——强烈的孕吐。

Incubator **早产儿保育器**——为早产儿提供热量和特殊空气的观察箱。

Induction **催产**——通过人工手段促使产妇开始宫缩，以加快分娩。一般都会给产妇注射催产素。

Jaundice **黄疸**——新生儿黄疸是新生儿肝脏发育过程中出现皮肤发黄的症状。一般在新生儿出生 10 天后就会消褪。

Labor **分娩**——生产胎儿的全过程，从使子宫颈张开的最初宫缩到胎儿娩出到最终胎盘娩出的全过程。

Lactation **泌乳**——母亲的乳房分泌奶水的过程。

Lanugo **胎毛**——胎儿头上长有的纤细、柔软的毛发。

Mastitis **乳腺炎**——哺乳期的乳房疼痛，有时是由感染引起的。

Maternity Leave **产假**——有工作的母亲被准许的假期。

Meconium **胎粪**——新生儿的第一泡便便（其中含有胎毛）。

Midwife **产科医生**——医疗专业人士，为准妈妈和新妈妈提供建议和帮助。

Miscarriage **流产**——怀孕第 24 周前终止妊娠。

Morning Sickness **孕吐**——怀孕的最初的症状：恶心、呕吐。孕吐可以在白天或者晚上的任何时候发生，一般在第一个孕期之后（第 12 周左右）症状消失。

Multiple Births **多胞胎**——孕妇怀有不止一个胎儿，其中有双胞胎、三胞胎等。

Nappy Rash **尿布疹**——由于胎儿皮肤于尿布之间过于潮湿而出现的真菌感染。

Neonatal Unit（NNU）**新生儿诊所**——专门护理新生儿或者患有并发症早产儿的诊所。

Obstetrician **产科医生**——负责怀孕、分娩和幼儿问题的专科医生。

Ovaries **卵巢**——女性产生卵子的器官。如果卵子成功受精，将会形成胚胎。

Ovulation **排卵期**——女性月经周期中的一个时间段，此时卵巢产生卵子，女性可以受孕。

Oxytocin **催产素**——激发产妇开始宫缩的荷尔蒙。

Paediatrician **儿科医生**——护理幼儿的专科医生。

Paternity Leave **陪产假**——对有工作的新爸爸准许的假期。

Perieum **会阴部**——对于女性来说，是指阴道和肛门之间的部位。

Pethidine **哌替啶**——在分娩过程中给产妇注射的合成吗啡，用于止痛。

Placenta **胎盘**——妊娠期间，孕妇体内用于向胎儿输送血液和养料的器官（在拉丁语中，有蛋糕的意思）。

Postnatal **产后**——分娩后的时间段。

Pre－eclampsia **子痫前期**——一些准妈妈由于体内免疫系统对胎盘产生反应而出现的精神过于紧张或者高血压。

Premature **早产**——胎儿在产妇怀孕不足第 37 周时娩出。

Prostaglandin **前列腺素**——一种诱发分娩的脂质（脂肪性酸液）。精液中也含有前列腺素。

Rhesus Negative **猕（Rh）阴性血**——一种血型。如果准妈妈的血型为猕（Rh）阴性，那么她在怀孕期间需要注射抗 Rh（抗 D）免疫球蛋白，防止体内产生伤害胎儿的抗体。

Rubella **风疹**——如果产妇未接受风疹疫苗接种，发病时可能造成流产。

Serum Screening **血清学筛查**——用于检测唐氏综合症。

“Show”现血——分娩即将开始时，子宫颈释放出的胶状黏液“栓”。

SIDS **婴儿猝死综合症**——Sudden Infant Death Syndrome，见婴儿猝死。

Statutory Maternity Pay（SMP）**法定产假薪酬**——给有工作的准妈妈支付的基本薪酬。产假头六周支付约 90% 的周薪。

Stretch Marks **妊娠纹**——妊娠期腹部和腿部的“真皮”层受到拉扯而产生的疤痕。

Transcutaneous Electrical Nerve Stimulation（TENS）**经皮神经电刺激疗法**——通过仪器在产妇分娩过程中施加少量电流，以促进产妇体内释放天然止痛激素。

Toxoplasmosis **弓形虫病**——动物粪便中的寄生虫。它对孕妇危害尤甚。

Trimester **孕期**——怀孕时的每三个月成为一个孕期。第一个孕期是从孕妇月经的最后一天开始到胎儿形成的第 12 ~ 13 周，第二个孕期是从怀孕的第一个孕期末开始到第 25 ~ 26 周，第三个孕期是从第 26 周开始到分娩为止（一般是第 38 ~ 41 周）。

Ultrasound **B 超**——利用超声波波频显示子宫中胎儿的图像。

Umbilical Cord **脐带**——连接胎儿和胎盘的纽带，用于输送氧气和养料。

Uterus **子宫**——拉丁文。子宫是母体内供胎儿发育的腔体。

Ventouse Extraction **真空吸引器助产**——利用真空吸引器强行将胎儿娩出的方式。一般是在胎儿已经进入产道，但是无法顺利娩出、出现胎儿窘迫；或者是产妇精疲力竭时使用。

Vernix Caseosa **胎儿皮脂**——英文直译就是蜡质奶酪；这是胎儿在子宫内部时，身体外部裹着的一层保护膜。宝宝出生后即被擦除。

Water Birth **水中分娩法**——利用一个充满温水的分娩池为产妇接生。这种分娩方式的支持者认为，水中分娩可以减少母婴在分娩过程中的疼痛。

Zygote **受精卵**——医学名词，指的是胚胎还只是一些细胞团时的状态。